GRANDES NOVELISTAS

Jorge Amado

DE CÓMO LOS TURCOS DESCUBRIERON AMÉRICA

O

DE CÓMO AL ÁRABE JAMIL BICHARA,
DOMADOR DE BOSQUES, DE VISITA EN
LA CIUDAD DE ITABUNA PARA
SATISFACER EL CUERPO, ALLÍ LE
OFRECIERON FORTUNA Y CASAMIENTO

O TAMBIÉN

LOS ESPONSALES DE ADMA

Traducción M. C

Jorge Amado

DE CÓMO LOS TURCOS DESCUBRIERON AMÉRICA

NOVELA CORTA

ILUSTRACIONES Y ARTE GRÁFICA DE
PEDRO COSTA

EMECÉ EDITORES

Diseño de tapa: *Eduardo Ruiz*
Título original: *A Descoberta da América pelos Turcos*
Fotocromía: *Moon Patrol S.R.L.,*
Copyright © Jorge Amado, 1994
© Emecé Editores S.A., 1994
Alsina 2062 - Buenos Aires, Argentina
5ª impresión: 2.000 ejemplares
Impreso en La Prensa Médica Argentina S.R.L.,
Junín 845, Buenos Aires, diciembre de 1996

IMPRESO EN LA ARGENTINA / PRINTED IN ARGENTINA
Queda hecho el depósito que previene la ley 11.723
I.S.B.N.: 950-04-1446-5
8.910

Para Zélia,
en las alegrías y tristezas de este otoño.
Para Antonio Alçada Baptista y
Nuno Lima de Carvalho,
que descubrieron Brasil y
conquistaron a la gente con
las armas de la devoción
y la amistad.

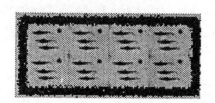

—*Ya es hora de que descubramos América*
—*dijo el profeta Tawil*—; *estamos un tanto*
atrasados, perdiendo dinero.

—DE LOS *Archivos secretos*,
VOLUMEN DE LOS *profetas menores*

Inspiración divina, obra maestra del Señor,
dádiva mayor, la chucha de rechupete,
llamada cajeta de ángel…

—*Libro del Génesis*, CAPÍTULO DE LA *perfección*

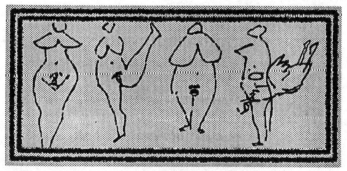

| CAJETA DE CHAQUETÓN | CAJETA COMÚN | CAJETA BOCA DE CAMPANA | CAJETA DE RECHUPETE. ADEMÁS DE SER LO QUE ES, TIENE UN ÁNGEL, QUE NO SE VE. ESTÁ POR DENTRO. |

—Carybé, *Rondó de las cajetas*

A fines de mayo de 1991 estaba yo en mi casa en Rio Vermelho, Bahía, cuando recibí una llamada telefónica de Roma: el director de la agencia de relaciones públicas me ponía al tanto de un proyecto, me hacía una propuesta.

Una importante empresa italiana había decidido conmemorar el Quinto Centenario del Descubrimiento de América publicando un libro con tres historias de autoría de escritores del continente americano: uno de lengua inglesa, el norteamericano Norman Mailer; uno de lengua española, el mexicano Carlos Fuentes; y uno de lengua portuguesa, yo mismo. El pro-

yecto consistía en la edición del libro en cuatro idiomas: italiano, inglés, español y portugués, en total trescientos mil ejemplares, que serían distribuidos gratuitamente a los viajeros de las diversas compañías aéreas, entre abril y septiembre de 1992, año del Quinto Centenario, en todos los vuelos entre Italia y las tres Américas.

La agencia adquiriría el derecho de publicación por un período de tres años, para los cuatro idiomas referidos, de los textos de los tres escritores del Nuevo Mundo. Me preguntaron si tenía preparada alguna historia de la longitud prevista (me dijeron cuál era el número de bytes: *de esas cosas de computadoras no entiendo nada, traduje los* bytes *a páginas a máquina, unas setenta, por ahí); si no tenía, ¿podría imaginarla o escribirla? Me propusieron determinada cantidad en pago de los dere-*

chos de autor: me pareció escasa, pataleé, quedamos en volver a discutir el tema en julio, en París, hacia donde yo viajaría en un mes.

La idea me pareció seductora, así que me puse a pensar en el proyecto. Me acordé de que, durante la elaboración de Tocaia Grande, había comenzado a concebir una aventura (o desventura) del árabe Fadul, pero no había llegado a escribirla. Me pareció innecesaria a la estructura de la novela. Como era una idea graciosa, volví a pensar en ella, a madurarla.

Esperé en París, los italianos no aparecieron, le dije a Zélia: "Los mafiosos desaparecieron, en buena hora, puedo proseguir tranquilo el trabajo en Navegação" (yo había iniciado en Bahía la redacción de Navegação de Cabotagem). Sucedió, sin embargo, que en agosto los fulanos se pusieron en contacto conmigo, vinieron a París, aceptaron mi precio,

15

firmamos contrato, suspendí la redacción de las antimemorias, inventé la novelita que se va a leer. En noviembre de aquel año, en Roma, entregué los originales, recibí el cheque, comencé a desperdiciar el dinero.

Comencé igualmente a vender el libro a los idiomas que no estaban incluidos en el contrato con la agencia. Firmé acuerdos para traducciones en francés, alemán, ruso, turco. En septiembre de 1992 salió la edición francesa (Éditions Stock), en traducción magnífica de Jean Orecchioni. El librito de los turcos mereció la mejor acogida de la crítica francesa, se vendió —y todavía se vende— muy bien, aparecerá en edición de bolsillo a comienzos de este año. Agrego que la edición turca, publicada a principios de 1993, es linda; en cuanto a la traducción, la considero perfecta: las traducciones perfectas son aquellas a idiomas que *el autor no puede leer.*

Las ediciones en italiano, portugués, inglés y español de las tres historias reunidas en un volumen deberían haber sido lanzadas en abril de 1992, pero no lo fueron. No participaron en las conmemoraciones del Quinto Centenario, conmemoraciones que degeneraron, como se había previsto, en polémica dura y radical: ¿Descubrimiento o conquista? ¿Epopeya o genocidio? El tiempo pasaba y yo no recibía ninguna noticia de la agencia.

No tuve noticias pero sí un presentimiento: al leer en los diarios que la "Operación Manos Limpias", que presentó al público y en el juicio la corrupción de la vida política italiana —corrupción que no puede compararse con la brasileña—, incluida en sus investigaciones importantísima empresa (había abierto proceso contra los directores, el presidente de la cual se mató en la prisión), me quedé con la pulga en la oreja. Le mostré la noticia a Zélia: "Creo que las ediciones previstas no llegarán jamás a las manos de los viajeros de las empresas aéreas, el proyecto se echó a perder".

Y así fue: enseguida la agencia que había establecido el contrato me escribió para comunicarme el abandono del proyecto, restituyéndome los derechos para los cuatro idiomas sobre los cuales tenía opción. Telefoneé a Carlos Fuentes, en Londres, para comentar la noticia, y él me dijo que ya había vendido a una editorial de Madrid los derechos de publicación en español de su historia. Le avisé a Sérgio Machado, en Brasil: "Los turcos están libres. Puedes publicar el libro cuando quieras".

Si el lector de esta novelita percibe algún parecido entre el árabe Jamil Bichara, personaje de la historia, con Fadul Abdala, perso-

naje de una novela anterior, entre Raduan Murad y Fuad Karam, entre el pueblo de Itaguassu y la aldea denominada Tocaia Grande, *no crea que es simple coincidencia. Se trata apenas de una prueba más de que soy un novelista limitado y repetitivo, según la opinión corriente y expresada por los nobles señores de la crítica nacional. Opinión dicha y repetida, aquí la transcribo para concordar con ella.*

En cuanto a lo demás, todo bien. Espero que los lectores se diviertan con las peripecias de los esponsales de Adma, *ocurridos en la ciudad de Itabuna, en los comienzos de la civilización del cacao, en los primeros años del siglo, cuando finalmente los turcos descubrieron América, desembarcaron en Brasil y se hicieron brasileños de los mejores.*

J. A.

Los Esponsales de Adma

1

Si creemos en los historiadores ibéricos, sean españoles o portugueses, el descubrimiento de las Américas por los turcos, que no son turcos en absolùto, sino árabes de buena cepa, ocurrió con gran atraso, en época relativamente reciente, en el siglo pasado, no antes.

Debe tenerse en cuenta que, por interesados, los tratadistas peninsulares son sospechosos; para ellos existen apenas, para alabar y acrecentar, los hechos y las figuras de españoles y portugueses, Cristóbal Colón, Américo Vespucio, Vasco da Gama, Fernando de Magallanes y otros figurones: castellanos y lusitanos del mejor calibre, del más alto linaje cristiano, de la sangre más pura, los intrépidos, los indomables héroes. Para comenzar vale la pena recordar que, armados de certificados de nacimiento y testimonios, publicistas italianos reivindican para la otra península, la tana, la gloria de haber sido cuna de Colón

y Vespucio: de aquel que descubrió y de aquel que se aprovechó y con su nombre denominó las tierras de lo ignoto. Con otros papeles, otros testimonios, rebaten los españoles, vaya a saberse quién tiene razón, los sellos en los papeles se falsifican, se compran los testigos con vil metal. Si los españoles merecen poco crédito, menos aún lo merecen los italianos, como se comprueba fácilmente con el fraude de Vespucio. ¿Y de los vikingos, qué decir? Muy embarullado, el Descubrimiento.

En el barco de inmigrantes que los trajo del Medio Oriente, de las montañas de Siria y del Líbano a las selvas vírgenes de Brasil, penosa travesía de tormentas, Raduan Murad, fugitivo de la justicia que lo perseguía por holgazanería y afección a los naipes, letrado de prosa seductora, reveló al sirio Jamil Bichara, compañero de bodega del barco, que, habiéndose echado en noches insomnes sobre libracos relativos al primer viaje de Colón, descubrió, en el relato de marineros que componían la tripulación de una de las tres carabelas de la festiva excursión, el nombre de un tal Alonso Bichara. El moro Bichara, contratado acaso a la fuerza, uno de los tantos héroes olvidados a la hora de las celebraciones y de las recompensas: el almirante se cubre de gloria, los marineros se cubren de mierda... A pesar de ser crudito, Raduan Murad tenía la boca sucia.

¿Verdad o embuste? Raduan Murad era imaginativo, inventivo, y, en cuanto a escrúpulos, no los cultivaba. Algunos años después, ya instalado en las tierras vírgenes, inventaría la "trinca Itabuna", compuesta por tres cartas dispares, novedad en las mesas de póquer, de comprobada utilidad a la hora del *bluff*, cuya fama se difundió por toda la zona *grapiúna*. Verdad o mentira poco importa, pues los sucesos que aquí se van a contar sucedieron teniendo por protagonista a Jamil y no a su pretendido bisabuelo, moro por Bichara, español por Alonso, de existencia dudosa. Mejor dedicarse a los hechos comprobados, innegables, aunque la historia verídica participe en el milagro.

La referencia al descubrimiento de América tiene que ver con las conmemoraciones actuales, omnipresentes: hoy en día no puede el pacífico ciudadano dar el menor paso, soltar el menor pedo sin que le caiga sobre la cabeza el Quinto Centenario. Del Descubrimiento, dicen los descendientes de los impávidos que descubrieron el otro lado del mar, de la Conquista, exclaman los descendientes de los indios masacrados, de los negros esclavizados, de las culturas arrasadas al paso de mercenarios y misioneros que conducían la Cruz de Cristo y la pila bautismal.

La discusión está planteada, polémica violenta, sin término medio, sin acuerdo previsible, el sectarismo predomina en los dos bandos, el que quiera que se meta y se exponga a acarrear con las consecuencias, no seré yo quien lo haga, yo, mestizo brasileño, fruto del descubrimiento y de la conquista, de la mezcla. Aquí estoy para contar lo sucedido con Jamil Bichara, Raduan Murad y otros árabes en pleno descubrimiento de Brasil allá por los comienzos del siglo. Los primeros en llegar del

Medio Oriente traían papeles del Imperio Otomano, motivo por el cual hasta la actualidad son calificados de turcos, la buena nación turca, una de las muchas que amalgamadas compusieron y componen la nación brasileña.

El buque en el que embarcaron el joven Jamil Bichara y el docto Raduan Murad llegó al puerto de la Bahía de Todos los Santos en octubre de 1903, cuatrocientos once años después de la epopeya de las carabelas de Colón. No por eso el desembarco dejaba de ser descubrimiento y conquista, pues las tierras del sur del estado de Bahía, donde se establecieron a batallar, se hallaban en aquel entonces cubiertas de selva virgen, apenas se iniciaban los cultivos, la construcción de casas. Coroneles y *jagunços* en armas se mataban en la disputa por la tierra, la mejor del mundo para la agricultura del cacao. Venidos de distintas tierras, *sertanejos*, *sergipanos*, judíos, turcos —se les decía turcos; eran árabes, sirios y libaneses—, todos ellos brasileños.

2

INICIADA A BORDO, LA AMISTAD QUE UNIRÍA
por toda la vida a Jamil Bichara y Raduan
Murad prosiguió y se reforzó cuando los

dos inmigrantes decidieron, sin consulta previa, intentar la vida en las tierras del sur de Bahía, el recién descubierto Eldorado del cacao.

Durante la travesía, tenebrosa, Jamil había podido admirar el saber y las virtudes de Murad. Casi un chico, muchachón, se llenó de entusiasmo al ver al compañero de viaje superar la náusea y prodigar conocimiento y astucia en la mesa de póquer —no más que una tabla que vacilaba con los sacudones del navío— o en el tablero de *gamão*. O al oírlo declamar versos de amor, algunos de apreciable concupiscencia de odaliscas y vinos; los decía en árabe y en persa en las noches de luna derramada sobre el mar, colcha de estrellas. Jamil y los demás oyentes, gente inculta, no conocían la lengua persa ni les sonaba el nombre antiguo de Omar Khayyam, pero la sonoridad de las estrofas de los *rubaiyats*, envolvente melodía, los aliviaba de los sinsabores de la navegación y hacía crecer el prestigio de Raduan Murad: desembarcó rodeado de respeto, con los bolsillos repletos de monedas de cobre, plata y oro. Ganadas a costa de talento y habilidad manual.

¡Eldorado del cacao! Acudía gente del *sertão*, de los estados del nordeste: Sergipe, el menor, el más próximo y el más pobre, por poco se vio despoblado de varones: abandonaban esposas, novias, enamoradas. También los árabes, apenas descendían del barco de la Compañía de Navegación Bahiana, en el puerto de Ilhéus, tomaban el rumbo de la selva, partían en busca de fortuna segura y fácil. ¿Fortuna fácil? ¿Segura? Mejor sería decir fortuna incierta y arriesgada. Si el sujeto señalado no comenzaba a estirar la pata en el primer entrevero de *jagunços*, si persistía, se le exigía ánimo para el trabajo duro y coraje para enfrentar la muerte.

A Jamil Bichara no le faltaba disposición para el trabajo, era intrépido por herencia: levantino nacido en el Éufrates, había heredado la valentía de tribus que luchaban entre sí casi por el exclusivo placer de la lucha, placer de la vida. Afirmación parecida puede hacerse al respecto de Raduan Murad, a pesar de las habladurías. Sin siquiera recordar el coraje moral, indiscutible, como negar valor e intrepidez a quien más de una vez enfrentó valentones en los antros de juego, además desarmado en tierras donde nadie abandonaba el trabuco naranjero o el revólver. Calmo, sereno, impasible, incluso cuando se cruzaban sospechas y amenazas: no siempre los truculentos saludaban la "trinca Itabuna" con risas y aplausos.

En cuanto a decir, como decían algunos, resentidos, que él era acérrimo adversario del trabajo, que le tenía santo horror, lo cual sucede con frecuencia a los letrados, se trata de injusticia y mala voluntad, evidentes. Si en efecto durante la primera juventud el Profesor —así lo trataban muchos con deferencia— se había negado con obstinación a realizar menesteres poco apropiados a su capacidad intelectual, no había trabajador más aplicado y cumplidor en mesa de póquer o de cualquier otro juego de azar. ¿De azar? Para Raduam Murad el juego de azar no existía. En ronda relajada de *conversê* era imbatible, y, de cuando en cuando, por diversión, redactaba en portugués fluido con seductor acento oriental artículos periodísticos sobre problemas de la zona del cacao. Sólo no los escribía con mayor frecuencia por falta de gacetas donde publicarlos y por recelo a que quisieran nombrarlo para el grupo escolar o para la Intendencia. Dispuesto a conservar la libertad, amaba por sobre todo el derecho a disponer de su tiempo, no quería que lo rigieran las agujas del reloj.

En todo diferentes el uno del otro, nada conseguía turbar la amistad de los dos turcos, el sirio y el libanés: eran de nacionalidades fraternas y enemigas. Jamil había nacido sirio cuando Raduan ya era libanés de nacimiento y convicción. No coincidían tampoco en la religión: mahometano, jurando por Alá y Mahoma, el joven Jamil; nacido en familia cristiana del rito maronita, el escéptico Raduan, que el trato de la vida y el vicio de los libros convirtieron en materialista más o menos tosco. Tampoco la diferencia de edad fue obstáculo para el compadraje. Cuando se dio el caso, Jamil aún no había festejado los treinta años, fogoso garañón solicitado por las mujeres-damas; Raduan había pasado de los cuarenta, simpático cincuentón, predilecto de muchachas y muchachuelas.

Tampoco la distancia que separaba Itaguassu —pueblito perdido en la selva, donde se afanaba Jamil— de Itabuna —ciudad reciente y próspera a la cual Raduan concedía el privilegio de en ella residir y actuar—. Una vez por mes Jamil iba a

Itabuna con el objeto de abastecer el negocio, exiguo pero único, donde vendía de
todo a la pequeña población de la aldea y
a la vasta afluencia de viandantes, troperos, *alugados*, *jagunços* y la andariega nación
de las putas que iba y venía en los atajos
del cacao. Iba también, inesperadamente,
para entretenerse, volver a ver la civilización —¿vino a darse su baño de civilización, compadre?, lo saludaba Raduan al
verlo llegar de improviso—, divertirse, re-
lajarse, nadie es de fierro, en el *cabaret*, en
los bares, en el quilombo. Era una fiesta,
él y el filósofo Raduan no se largaban, *conversê* sin fin, carcajadas a granel, los tragos,
las polcas y las mazurcas. En noches de
mucha animación, en las calles desiertas
de Itabuna, del brazo con Paula la Tuerta
u otra cualquiera, a Raduan se le ocurría

declamar en árabe poemas de amor en los
que corría el vino y bailaban las sultanas:
tomado de las manos con Glorinha Culo
de Oro, al escucharlo Jamil se conmovía
hasta las lágrimas.

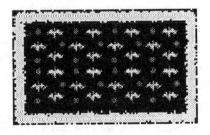

3

Sentado, descansando al fin del tráfa-
go del día, ¡ay, qué cansador!, en la acera
del Emporio de Itaguassu —al frente el

negocio, en los fondos la vivienda—, transcurridos algunos años de la ceremonia del pedido de casamiento, Jamil Bichara reía estrepitosamente al recordar las vicisitudes de la transacción de la mercería, el peligro que había corrido cuando, aconsejado por Raduan Murad, Ibrahim Jafet le había ofrecido sociedad en El Baratillo y, en contrapartida del noviazgo y el casamiento, la mano de Adma, la primogénita. Las tres hermanas más jóvenes, bien o mal casadas; ella, virgen: ácida, cascarrabias, incólume, más que virgen: solterona.

Por ella (y por la mercería, ¡un negoción!) Jamil había estado a punto de abandonar Itaguassu y el Emporio recién establecido: de valioso sólo tenía el nombre, tienducha de fariña y porotos, *cachaça* y alpargatas. Después pasaría a vender al por mayor y al por menor, abasteciendo a lôs hacendados de las vecindades y los habitantes del lugar, *stock* variado que iba del charque a las calzas de *bulgariana*, de las sandalias de cuero crudo a los sombreros y botinas, paños de algodón para ropa blanca, carreteles de hilo, agujas de costura, brillantina, estampas de santos católicos, milagreros. Si bien era mahometano, del culto chiíta, Jamil no matenía prejuicios religiosos cuando de ganar dinero de trataba: Alá es grande, su sabiduría es infinita, lee en el corazón de los hombres, todo puede comprenderlo y apreciarlo.

Los Bichara, numerosos y emprendedores, se desparramaron por los puertos del Mediterráneo y adyacencias. Se establecieron en España, como ya se informó, en Creta, en Egipto y en Marruecos, pasaron de Libia a Italia, llegaron a Senegal, un tal Michel Bichara comandó una banda de salteadores en la ciudad francesa de Marsella, acabó en la guillotina. El primero en descubrir América, en rumbear para Brasil, fue Jamil. En la historia de la familia su nombre pionero fulgura al lado del nombre de Michel el *brigand du port*.

En la despedida, antes del embarco, fue a arrodillarse delante del *mulah* Tahar Bichara, su tío abuelo, docto y santo, discípulo predilecto del Profeta, interlocutor de Alá a la hora de las oraciones: se preveía que en breve alcanzaría las honras y los emolumentos de ayatola. De él Jamil recibió una carta de recomendación dirigida al coterráneo Anuar, jefe de la tribu de los Maron, establecida con haciendas de cacao en el estado de Bahía. Carta para el ricacho, oraciones para Alá, que no habría de faltar al hijo perdido en la vastedad de América. El *mulah* se encargaría de que así fuera, el nombre de Jamil permanecería en su boca, en los oídos de Alá y de su profeta Mahoma.

Si la carta fue valiosa, determinante para la elección de la región *grapiúna* por parte de Jamil (allí tenía en quien apoyarse para comenzar la vida), por cierto que los ruegos del venerable Tahar posibilitaron al nuevo brasileño no sentirse perdido, abandonado en la patria de adopción que necesitaba conquistar palmo a palmo, día a día. Corresponde a Alá asistir a sus hijos en las horas decisivas, defenderlos contra las tentaciones de Shitan, satanás insidioso, indicarles el buen camino, impedir que vayan a cometer error mayor capaz de ha-

cerlos penar en la tierra los horrores del infierno.

Alá acompañó los pasos del hijo
errante durante el largo tiempo en que,
por cuenta del turco Anuar Maron, reco-
rrió las tierras del cacao de norte a sur, de
este a oeste: los límites se extendían, las
distancias cada vez mayores. Lo salvó de
múltiples peligros, todos grandes: de las
cascabeles y las yarará-cuzús, mordidas
mortales, de la viruela endémica, de la viruela negra, muerte segura, de las embos-
cadas, de los *jagunços*, de los conflictos y
las luchas, coroneles contra coroneles, los
cabras y los protegidos que dejaban el pe-
llejo en los caminos trazados a carabina y
puñal.

Anuar Maron, coronel Anuar Maron
por ser millonario, hacendado de cinco mil

arrobas, unía a las suyas las escasas cosechas de aquellos que poseían apenas un pedazo de tierra cultivada y no tenían cómo llevar el cacao seco hasta los depósitos de las empresas exportadoras, establecidas en Ilhéus y en Itabuna. Comisionado por el coterráneo rico, Jamil compraba para él la producción de los pequeños agricultores, compitiendo con los enviados del coronel Misael Tavares, el Rey del Cacao, o del coronel Basílio de Oliveira, Señor de Pirangi.

Durante cuatro años, montado en burros y mulas, a pie por los atajos peligrosos, Jamil atravesó la selva y la domó, comprando cacao a precio bajo: aprendió a ejercitar la lengua, ejerció la contabilidad y la medicina, hizo relaciones y amistades, bautizó chicos en la fe católica... Que Alá entendiera y lo perdonara.

Ala todo lo entendió y todo lo perdonó, se mantuvo vigilante a su lado, atento a las oraciones del *mulah*. La prueba, Jamil la tuvo en ocasión de la pelea que lo separó de una vez por todas del coronel Anuar Maron. En la aldea de Ferradas, donde le fue a entregar un encargo del patrón, conoció y llevó a la cama a la viciosa Jove, *cabocla* ociosa y loca: la aventura dio que hablar, la noticia llegó a oídos del coronel. Anuar Maron le había puesto casa a Jove, la retiró de la zona, la quería exclusiva, no admitía que otro cabalgara animal de su pastura. Hizo las cuentas del coterráneo y lo despidió. Si no mandó un *cabra* bueno de puntería a esperar al osado en la emboscada y despacharlo a la tierra de los pies juntos, se debió al recuerdo del *mu-*

lah, a quien guardaba respeto.

En tal ocasión, cuando Jamil se vio en ese apuro, sin saber qué hacer, el coronel Noberto de Faria le hizo la propuesta. Hacendado todavía más rico que el turco Maron, dueño de leguas de tierra plantadas con esmero en las extensiones de Itaguassu, le tomó afecto a Jamil, a quien había conocido en los quilombos de Itabuna, de los cuales era frecuentador asiduo y jaranero. Deseoso de ver crecer y progresar la población nacida en las cercanías de sus tierras, el coronel Noberto, al oír las quejas de Jamil, le preguntó si no le interesaría montar un negocio en Itaguassu, comerciar por cuenta propia en vez de trabajar para un patrón. ¿Qué otra cosa podría Jamil anhelar en la vida? Era su sueño, pero, ¿dónde estaba el capital para las transacciones iniciales? Noberto de Faria, *sergipano* amulatado, hombre de honor y de visión, colocó la cantidad necesaria a disposición de Jamil por confiar en él y lo dispensó de los intereses por tenerle estima. Lo llamaba socio de mesa y cama, pues se habían acostado con las mismas chicas, habían comido del mismo plato, tenían gustos semejantes: mamas pequeñas, culos grandes, tajos apretados: las concordancias gratas refuerzan los lazos de la amistad.

Se estableció con la protección de Alá —Alá es grande y Mahoma es su Profeta, no cuesta nada repetirlo— y con cobres prestados por el coronel Noberto de Faria. Tres años después ya había pagado el préstamo, iba poco a poco ampliando el Emporio. Todavía estaba lejos de poder compararse con las tiendas y los almacenes de las ciudades de Ilhéus e Itabuna, de los pueblos de Ferradas, Olivença, Agua Preta, Pirangi. Pero en breve, ya nadie podía dudarlo, Itaguassu dejaría de ser una mera aldea y el Emporio aventajaría, en lo que se refería a *stock* y clientela, al propio El Baratillo de Ibrahim Jafet. Jamil Bichara, sentado en la acera de su comercio, agradecía a Alá haberlo salvado cuando él, poseído por la ganancia, por el apresuramiento, por la tentación del lucro fácil, casi había seguido los consejos de Shitan: abandonar Itaguassu, casarse con Adma, volverse un desdichado.

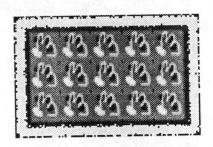

53

4

E<small>L CASO SUCEDIÓ CUANDO</small> I<small>BRAHIM</small> J<small>AFET</small> vio que las cosas peligraban. Perspectivas sombrías en el balance de la tienda: con el yerno Alfeu en el mostrador y en la caja, soplaban vientos de quiebra. Negras previsiones en la vida cotidiana del hogar: Adma, condenada a vestir santos, había asumido el mando de la casa y de los parientes con religión y acrimonia; se acumulaban nubes de tempestad que amenazaban los hábitos contraídos, deleitables. Corrían peligro inminente la situación económica y el placer de la vida.

El Baratillo, mercería con buena clientela y bien surtida, con crédito en la plaza, había provisto durante largos años a las necesidades de la familia y los modestos gustos del propietario: la pesca y los tableros de dama y *gamão*. Indiscutida cabeza de tribu, en vida, Sálua, la esposa, se había ocupado y responsabilizado del negocio: el mostrador de menudencias cono-

ció días prósperos y rindió ahorros. Bonita, rellena de cuerpo, ojos lánguidos, vistosa estampa de figurín; autoritaria, mandona, exigente y al mismo tiempo cariñosa, gentil y sociable.

Perita en la marcación de los precios y en la práctica de la pichincha, trampeaba en el manejo del metro y la tijera, riendo y chismeando con la clientela, compuesta casi enteramente por mujeres. Estimada, respetada, mano económica para la caricia, pesada para el castigo, Sálua había dirigido con competencia la mercería, a las hijas y al marido.

El intelectual Raduan Murad, persona grata, amigo de la familia, compañero de Ibrahim en las damas y el *gamão*, la proclamaba matriarca. No por severa y moralista, menos capaz de amor en el trato con las hijas que de incontinencia cuando se hallaba en el lecho con el esposo idolatrado a quien todo consentía —¿consentía o mandaba? Se mataba en el trabajo para que él pudiera gozar la mañana de pesca, la tarde de siesta y naipes, y se conformaba con tenerlo a la noche: todas las noches, a partir de las nueve, hora de apagar el candelero y encender los inmensos ojos de sultana para las infatigables nupcias en la oscuridad del cuarto.

Así son las matriarcas: autoritarias y exigentes con la plebe, liberales y magnánimas con los favoritos, explicaba Raduan Murad a los admiradores reunidos para oírlo en la mesa de póquer, en el café, en el cabaret, en las pensiones de mujeres, lugares donde prodigaba sapiencia y bufonadas. Citaba el ejemplo de Ibrahim Jafet:

¡favorito único y exclusivo, un señorón!

La muerte inesperada de Sálua modificó los hábitos en el hogar y en la mercería. Abatido, Ibrahim se dedicó a la pesca matinal, el tablero vespertino, la frecuentación nocturna de las putas, en busca de compensación y consuelo. Vano intento: ni consuelo ni compensación. Hoy una, otra mañana, las muchachas apenas servían para retenerlo lejos de la alcoba de la casa de dos plantas, fría y lúgubre desde que la bien amada se ausentara. Aunque consiguiera reunir en pase de magia a las muchachas más eximias, las especialistas más capaces, en una mescolanza de técnicas y estilos en cama única y disoluta, ni así igualaría la insigne maestría, la sapiencia universal de Sálua. Poseía un don adivinatorio, por cierto, afirmaba Murad, pues no había tenido dónde aprender, tampoco quien le enseñara. ¡La cama de Sálua, ésa nunca más!

5

Las hijas sustituyeron a la madre en
el mostrador de ventas, pero se preocupa-
ban menos por la mercadería y las clientas

que por los enamorados. Retirado el freno, se desbocaban. En los tiempos de Sálua hacían señas a los muchachos desde las altas ventanas de la casa, castos amores de *caboclo*; huérfanas de madre, arrullos en el mostrador, besos y caricias en la puerta del jardín. Con excepción de Adma, a quien no le gustaba vender y no había encontrado quien le arrastrara el ala.

Se fueron los ahorros en los ajuares de las hijas más jóvenes. Se casaron con muchachos de la región, ninguna escogió compatriota con índole y disposición para el comercio. Votos de elogio para el matrimonio de Jamile, la segunda en edad, pues Ranulfo Pereira, el novio, estaba bien encaminado con cultivos plantados en Mutuins, ya cosechaba sus trescientas arrobas de cacao. Samira, dos años más

chica, había seguido camino modesto, aunque digno, al recibir la bendición nupcial en compañía del telegrafista Clóvis Esmeraldino... no era un joven de posesiones, pero sí de letras, afecto a las charadas, descifrador de logogrifos, poetastro de almanaque, capitales de dudosa renta pero de lustre y estimación. En cuanto a la benjamina, Fárida, decían que era la más hermosa entre las turcas de la mercería. Un manjar apetitoso, según la ávida calificación de Alfeu Bandeira, aprendiz de sastre bajo la tutela del maestro Ataliba Reis, dueño de la Sastrería Inglesa, cuyas puertas se abrían frente a la casa de los Jafet. Alfeu saboreó el manjar que, dígase la verdad, se ofrecía con un descaro condenado con vigor por las familias del vecindario: tanto agarrarse, tanto refregarse, tenía que acabar mal. Acabó bien, en casamiento apresurado. Velos de tul revoloteaban sobre la intrépida barriguita de Fárida, preñada de cuatro meses, flores de azahar en la guirnalda, símbolo de pureza y virginidad. Virgen, sólo de la axila, comentó el maestro Ataliba, elegido padrino por el novio. ¿De la axila? ¿Será?, dudó Raduan Murad, padrino de la novia, escéptico como corresponde a un erudito. Se pusieron, mientras tanto, los dos de acuerdo con doña Abigail Carvalho, costurera responsable del vestido de la novia, cuando la distinguida la comparó con un querubín.

Sin cacao ni logogrifo, Alfeu se esforzó en el mostrador de El Baratillo. No le faltaba buena voluntad; le faltaba todo lo demás: cuando llegó el momento del balance fue un sálvese quien pueda. Cuando

Ibrahim cayó en la cuenta, estaban amenazadas la pesca, las apuestas a las damas y el *gamão*, las noches de francachela y la solvencia de la mercería. No era de Alfeu la culpa total del descalabro pues, en la misma época, Adma se había alzado en guerra.

Guerra santa, en ella se empeñaba desde que el alma de Sálua se le había aparecido en sueños penando en el infinito, sin poder ocupar el merecido lugar junto al Padre Eterno debido a la disipación a que se había entregado la familia después de haberla llevado al cementerio. ¿Cómo gozar de las delicias de la bienaventuranza si en la Tierra los seres queridos vivían en la iniquidad y el pecado? Para salvar el alma de la Madre, Adma había partido a combatir.

Tenía metas que cumplir, establecidas en noches de vigilia, soledad y desventura. Poco podía hacer, infelizmente,
en relación con la soberbia de Jamile, en-
trometida y rica, pagada de sí misma —to-
maba café, eructaba chocolate—, o con el
descaro de Samira, a las risas y coqueteos a
la vista del marido y en la boca del mundo,
una desvergonzada. Vivía una en Mutuns,
la otra al lado de la estación de ferrocarril,
ambas lejos de su autoridad inmediata. Solamente de tanto en tanto, cuando las im-
pías venían de visita, Adma se daba rienda
suelta, se desahogaba. Jamile respondía
con el desprecio, Samira se le reía en la cara, la descarada.

En cambio podía mucho tratándose
de Fárida, Alfeu e Ibrahim, allí a mano,
sin escapatoria: no los perdonaba. Ponía

orden en la casa, exigía decoro en las costumbres. Obligaba a Fárida, pobre querubín, a abandonar la buena vida para ir a ayudar en las faenas de la casa, ¡tantas y pesadas! Comenzando por cuidar del hijo —las mamaderas, las mantitas sucias, los pañales mojados, el llanto, la caca y el vómito— en vez de proseguir en la desvergüenza con Alfeu, intercambios de besos en el mostrador, de pellizcos y toqueteos delante de la clientela como si continuaran enamorados. No había sido ella, Adma, quien se meneara en el portón del jardín; ¿por qué habría de ser ella quien se ocupara del pis y la mierda del chico?

Pero el blanco principal de su emperramiento era Ibrahim. Rescatarlo del libertinaje, de la perdición en que se revolcaba a partir de la viudez, cuando abandonara por completo el negocio de la familia. Si lo llevaba de vuelta al buen camino, el alma de Sálua alcanzaría por fin el Paraíso. Misión sagrada, Adma se disponía a llevarla a cabo, costara lo que costare.

De Sálua, Adma había heredado el carácter fuerte, la severidad y el don de mando. Lástima que no hubiera heredado los rasgos del rostro y las formas del cuerpo. En ese aspecto en particular salía al padre, huesuda, descarnada, sin las abundancias de busto y cuadriles, los meneos en el andar, los grandes ojos y los cabellos de seda de la madre y las hermanas. El leve bozo que todas ellas exhibían sobre el labio, un detalle más en la hermosura, en Adma se había desarrollado hasta ser bigote espeso. Injusticias del cielo, ¿de quién es la culpa?

Con la edad y el desaliento, los dones morales legados por Sálua se transformaron en agresividad e intolerancia. Raduan Murad, estudioso de la naturaleza humana, de causas y consecuencias, no la designaba matriarca; bajando la voz, el erudito la definía: ¡marimacho!

Examinando en las amenazadas mañanas de pesca las diversas facetas del problema, Ibrahim llegó a la conclusión de la existencia de una única y brillante solución, capaz de resolver la doble crisis, moral y financiera, y librarlo al mismo tiempo de la ineptitud del yerno y el despotismo de la hija mayor: las otras unos amores, las tres. Debía encontrar un coterráneo que asumiera la gerencia de El Baratillo e hiciera de Adma su esposa. La sangre árabe del pretendiente garantizaría la vocación para el comercio y la disposición para el trabajo. La condición modesta facilitaría la realización de los esponsales. De no ser así, ¿cómo hacerlo aceptar la fealdad por lindura, la amargura por castidad?

Todo el mundo sabe y en los libros se proclama que la verdadera belleza de la mujer no se reduce a sus encantos físicos ni a ellos cabe la primacía. La verdadera belleza de la mujer reside antes que nada en las virtudes que le ornamentan el corazón y le hermosean el alma. Teniendo en cuenta virtudes indiscutiblemente raras — la condición de heredera, la participación en los lucros de la mercería, la intacta virginidad—, ¿cómo negar cierta belleza a Adma?

Además, aunque no era bonita como las hermanas tampoco era tullida o débil mental. Pureza total, ya mencionada: jamás había conocido atrevimiento de galanteador, jamás había visto nacer la luna en el portón del jardín. Revestida con los encajes y las cintas de El Baratillo, quién sabe, a lo mejor encontraría un candidato capaz de llevarla al altar y hacerle el favor.

Hazaña difícil, concluía Ibrahim, pero necesaria, urgente, imprescindible: Adma había alcanzado la edad del mal humor y la maldad.

6

IBRAHIM BUSCÓ OPINIÓN Y CONSEJO EN
Raduan Murad, en el bar, delante del tablero de *gamão*; encontró acogida entusias-

ta para la idea, ayuda concreta para la realización del plan:

—Cuente conmigo, don Ibrahim, iremos juntos a la caza de esa *avis rara*. Comencemos por analizar el asunto en profundidad.

Un regalo de los cielos aquella farsa, de medida para ocupar el tiempo vacío en la ciudad reciente, desprovista de diversiones: fuera de los naipes, el bar, el cabaret, las pensiones de chicas, nada que hacer. Atento al relato del compañero, Raduan Murad entrecerraba los ojos, feliz de la vida. Disintió sólo respecto del concepto de belleza manifestado por Ibrahim, sin negarle, sin embargo, condición de lugar común reproducido en los tratados de moral.

—¡Tratados de moral, monumentos de hipocresía! La virtud puede ser excelente para alcanzar el cielo después de la muerte. Pero para la cama, don Ibrahim, lo que cuenta es la carne, la materia propiamente dicha.

Moviendo cielo y tierra, pasaron revista a los compatriotas residentes en Itabuna. Numerosos, casi todos afectos al trabajo, algunos de seriedad comprobada. Soltero uno solo, Adib, el menor de tres hermanos, huérfano de padre y madre, por casualidad mozo allí mismo, en el café. Muchachote risueño y confiado, de manifiesta habilidad en el cobro y el cambio, indicio de primera. Lo malo era la edad, demasiado joven para Adma.

—Adma ya pasó de los treinta —confesó Ibrahim.

Raduan, sin embargo, descartó la objeción: la diferencia de edad poco o nada significa para el éxito del matrimonio. Un muchacho joven, en el comienzo de la vida, necesita tener a su lado una esposa sensata que lo oriente. En un casamiento de viejo con jovencita, el marido corre peligro de cuernos, pero en el viceversa no hay que temer, a las mujeres no les crecen cuernos, ¿no es así? Argumento irrebatible.

Dispuesto a ganar tiempo, iniciaron los sondeos de inmediato. ¿Adib no tenía ganas de casarse, poseer un hogar, dulce hogar, esposa e hijos? Sorprendido con la pregunta, el mozo pensó un poco antes de responder que ganas de casarse, por ahora, no tenía, no, señor. Veinte años sin cumplir, se consideraba muy joven para atarse. Sobre todo en esa circunstancia, cuando andaba saliendo con Procópia.

—¿Procópia? —se interesó Raduan—.

¿La del juez de paz?

Adib hizo chasquear la lengua con un ruido obsceno de satisfacción:

—La misma, sí, señor.

Novedad de poca monta, pero aun así de interés. Enciclopedia de la vida urbana y rural, Raduan Murad se mantenía al tanto de todo lo que ocurría en Itabuna y en las inmediaciones, incluso de hechos aparentemente irrelevantes. Fuente incomparable de informaciones, si desconocía detalle de algún enredo, lo inventaba, y ocurría que acertaba las más de las veces. Cuando se veía exigido, preveía el curso de los acontecimientos, dejando al público con la boca abierta. La vida, al final, no pasa de ser un partido de póquer; basta con sustituir las cartas de la baraja, las fichas de las apuestas, por sucesos y personas.

En un caso y en el otro, en la lotería del destino, Raduan no se oponía al *bluff*, muy por el contrario. Infalible no era, pero le faltaba poco. Respiró hondo al recordar las tetas de Procópia, una insensata.

—Felicitaciones, muchacho, y ten cuidado con el juez. El doctor Gracindo es un señor feudal. Si sospecha de ese acuerdo ilícito, te manda meter en la cárcel y te enseña a faconazos el respeto por concubina ajena.

Ya consideraban a Adib carta fuera de la baraja cuando oyeron al sorprendente individuo reír y completar:

—No voy a decir que, si se me aparece la hija de un hacendado lleno de plata, a ella la despido...

Se miraron entre sí los dos compadres: plantaciones de cacao o casa de comercio, pequeña diferencia hace. Adib permaneció inscripto en la hoja de candidatos; además, hasta el momento era el único. Volverían a conversar con él si Ibrahim no descubría mejor partido en Ilhéus.

7

Apasionante asunto, Raduan Murad movía las piezas desatento al juego cuando, interrumpiendo una jugada, palmeó el hombro del compañero y anunció:

—Albricias, don Ibrahim, encontré al hombre que buscamos, el ideal para socio y yerno: acaba de ocurrírseme ahora mismo. Se llama Jamil Bichara. ¿Sabe quién es?

Ibrahim sabía de quién se trataba. Lo conocía de vista y de oír hablar, un coterráneo de estatura gigantesca y voz estentórea. Glorinha Culo de Oro, esa peste adorable, no se sacaba el nombre de él de la boca apetitosa, Jamil de acá, Jamil de allá, contaba cosas graciosas y lamentaba la prolongada ausencia del fulano últimamente desaparecido en las calles de Itabuna, donde hacía falta.

—Dejó de trabajar para Anuar Maron —aclaró Raduan—, abrió un negocio en uno de esos andurriales perdidos por la

selva. Dónde, no sé; él me dijo el nombre, pero me olvidé. La que debe de saber es Glorinha. Cuando aparece por acá ni siquiera busca hotel: se hospeda en el cuarto de ella como si fuera hacendado de mil arrobas, con concubina propia.

Poco más pudo Raduan adelantar sobre el paradero y los propósitos del Sultán (le había dado ese apodo por ser el compatriota loco por las mujeres). La última vez que lo había visto, hacía un montón de tiempo, exactamente en compañía de Glorinha Culo de Oro, se había quejado del trabajo extenuante y la pésima calidad de las chicas en el fin del mundo donde se había metido. Si persistían tales inconvenientes, Jamil sería por cierto sensible a la propuesta de Ibrahim. Raduan no sabía de otro con tanta disposición para el trabajo y tanta ansia de ganar dinero. Para socio, perfecto. Para yerno, faltaba saber si Jamil aceptaría el desafío.

—Porque acá entre nosotros, don Ibrahim, nuestra querida Adma... Las virtudes no las discuto, soy un pecador, no entiendo de esas cosas. Pero los rasgos...

—Ya lo sé, compadre. Salió a mí, no tuvo suerte.

Conversación inútil, pues el hombre indicado no se hallaba cerca para discutir la situación comercial, el balance y las perspectivas ni sobre conceptos de belleza, valores físicos y morales. Había desaparecido, no tenía fecha fijada para venir a Itabuna. Raduan aun así aconsejó a Ibrahim que tuviera paciencia, pero la propuesta fue rechazada *in limine*. No, compadre, no podía esperar un día más si deseaba resolver la crisis antes de que el yerno Alfeu y el querubín completaran la quiebra de la mercería, antes de que la hija Adma —¿Hija? ¡Madrastra, morabita!— se impusiera por completo, reduciéndolo a la condición de esclavo, de eunuco.

Con los ojos humedecidos, la voz trémula, entrecortada, Ibrahim abrió las últimas compuertas de la vergüenza, abandonó cualquier resquicio de respeto humano, expuso los horrores de la tragedia:

—Mi compadre Raduan, le voy a contar todo, la desgracia que está sucediendo conmigo. Por culpa de las virtudes de mi hija Adma...

—Sospechaba eso... La virtud es triste y autoritaria. —Ávido de conocer los pormenores de la novela, Raduan alentó la confidencia. —No tenga pudor, don Ibrahim, desahóguese, estamos en familia.

Dispuesta a encadenarlo al mostrador durante la mañana y la tarde, a condenarlo a la abstinencia durante la noche, Adma convertía en un infierno la vida del padre, cada día más tiránica y violenta: implacable furia, compadre. Escándalo sobre escándalo, para contento del vecindario. En las mañanas de pesca lo acusaba de indolente por abandonar el negocio para holgazanear en el río; de irresponsable a la tarde, durante la siesta en la hamaca entre los árboles del jardín y a la hora sagrada del bar y del *gamão*. Se exacerbaba a la noche cuando, después de la cena, él partía a divertirse un poquito. Arrancándose los pelos, a los gritos, Adma clamaba a los cielos; se juntaba gente en la calle para oírla. Lo esperaba con cuatro piedras en la mano, entrada la madrugada. Entonces...

—Ya lo sé, don Ibrahim; fui testigo, nunca lo olvidé.

Ibrahim Jafet sentía disminuir su capacidad de resistencia, aflojársele el ánimo. Había reducido la pesca de cotidiana a dos veces por semana, abreviado la siesta, le daba duro a la mercería: vida de negro esclavo, una tristeza. Pero había cosas peores, mucho peores.

—Voy a contarle todo, ¡ay, mi compadre! No es sólo carácter lo que estoy perdiendo... —Bajó la voz y la vista. —...La dureza también...

—¿La dureza, Ibrahim? ¿Cómo es eso?

¡Brujería! Últimamente era víctima de pavorosa brujería. Le ocurría estar adentro de una muchacha y de repente oír, en lo mejor de la dicha, la voz malévola de Adma, o divisarle en la oscuridad el rostro torvo: se marchitaba *incontinenti*, en el mismo instante. La cosa no paraba ahí: la maldición persistía por el resto de la noche. No servía de nada que la muchacha se esforzara, no había habilidad capaz de levantarle el palo.

—Ella me está capando, compadre Raduan.

—Es más serio de lo que pensaba, Ibrahim. Realmente no podemos esperar a Jamil Bichara o a quien sea. Usted irá a Ilhéus mañana mismo, mientras yo prosigo la conversación con Adib. Del modo como están las cosas, dentro de poco ni el casamiento podrá salvar a nuestra Adma.

En el mismo momento en que Ibrahim Jafet confiaba sus miserias al compadre y consejero, sucedía una extraordinaria coincidencia, digna de registro en este verídico relato de los esponsales de Adma en que las coincidencias y los sortilegios se atropellan. En aquel sosegado fin de tarde, tras haber depositado el bolso de viaje en el cuarto de Glorinha Culo de Oro y tomado un baño de tina para sacarse el polvo del viaje, Jamil Bichara se disponía a satisfacer el cuerpo, para eso había ido a Itabuna. Para renovar el *stock* del Emporio y para dar de comer al pájaro, bailar en el cabaret, charlar con Raduan Murad, atender las necesidades del cuerpo y del espíritu.

Ninguno de los personajes reunidos en el café, en la pensión de las chicas, en el primer piso de la mercería, podía adivinar que todas aquellas conversaciones y sucesos eran partes de la maquinación de

Shitan, el diablo del Islam. En el tablero, el destino de Jamil; de yapa, las almas de los demás comparsas.

8

MIENTRAS JAMIL BICHARA, EN EL CUARTO de Glorinha Culo de Oro, en la pensión alegre de Afonsina, daba de comer abundante y variado al pájaro; mientras Ibrahim Jafet, doblado bajo el peso de la vergüenza, se decidía a cenar en su casa y afrontar la ira de la hija Adma, Raduan Murad, a la mesa del bar de Sante, a aquella hora vacío de clientes, reflexionaba sobre la catastrófica situación del compadre y viejo amigo.

La fortuna de los hombres es inconstante, dice el refrán, y el ejemplo de Ibrahim lo prueba y comprueba. Hace unos pocos años próspero comerciante, padre de familia respetado, dueño de largo tiempo de ocio, esposo de la más competente, deseable y honesta de las mujeres, de repente convertido en aquello que se veía. De favorito único y exclusivo de la matriarca Sálua —¡un pashá!—, estaba a punto de transformarse en esclavo arruinado e

97

impotente. En honor a Sálua, Raduan Murad saboreó el *araque*, vaciando el vaso.

Raduan no tenía hora fija para almorzar y cenar, a no ser cuando lo invitaban; tampoco hora de dormir. Lo hacía en los intervalos de la buena prosa, su arte; de la mesa de póquer, su oficio principal; de los libros leídos y releídos, de los tableros de damas y *gamão*, de la holganza con las putas, sus inocentes diversiones. En cambio podía beber a cualquier hora. Competente en el manejo del vaso, manifestaba preferencia por los alcoholes con sabor a anís. Bueno de trago, mejor todavía de conversación y juerga.

Se demoraba, solitario, en el café al atardecer, prolongando el aperitivo, preparándose para la aventura múltiple de la noche. No precisaba hacer trampa para ganar en el póquer, en la sala de los fondos del Hotel dos Lordes: sólo lo hacía de vez en cuando, para enseñar decoro a despreciables manipuladores de barajas. Le bastaba la agudeza para evaluar la naturaleza de los compañeros de juego, el raciocinio rápido para usar las fichas con pericia y autoridad. Desenmascaraba *bluffs* y los aplicaba con absurda seguridad. Según decían los jugadores asiduos, podía cantar el juego de los adversarios, poseía el don de adivinar.

Seductor, con las mujeres derrochaba galanteo y fantasía. Acostarse con Raduan Murad era prerrogativa disputada a insultos y sopapos por las muchachas. Las malas lenguas cuchicheaban nombres de mantenidas y casadas. Muchachas vírgenes miraban de lejos el cuerpo esbelto, impecable con el ambo blanco de lino, la cabellera grisácea, los dedos largos aferrando la boquilla de marfil: suspiraban. Soltero, cincuentón, más seductor que cualquier muchacho. Delante del vaso vacío, reflexionaba sobre la suerte de Ibrahim: payasada y melodrama.

Prudente, Sante, el patrón del bar, recogió el dinero de la jornada, dejando apenas unos vueltos, y salió a cenar en su casa. Adib lavaba vasos, manipulaba bebidas, arreglaba botellas, preparando el mostrador para el trajín nocturno pronto a comenzar. Momento propicio para reanudar la conversación con el candidato en potencia a la mano de Adma, al mostrador de menudencias.

Raduan Murad se sentía en la obligación de ayudar al perseguido Ibrahim en la lucha para sobreponerse a la desdicha, para vencer la mala fortuna y reconquistar el derecho a sombra y agua fresca. En consideración a la vieja amistad, al compadraje, al recuerdo de los ojos de Sálua, de la inaccesible Sálua, pero, sobre todo, para divertirse con un juego más, tan excitante cuanto el póquer: el ya mencionado juego del destino, en el cual las barajas son seres humanos y en el *bluff* se apuesta la propia vida.

Entrecerró los ojos; la noche venía lenta de la otra margen del río, todavía deshabitada. Maleficio y virulencia en las encrucijadas de la mercería. Para enfrentar la crisis, las armas de Raduan eran la sabiduría y la astucia. Elevando la voz, le pidió a Adib una nueva dosis de *araque*, dio inicio al interrogatorio y a la negociación.

9

NUNCA SE SUPO DE LOS TÉRMINOS PRECISOS de la conversación entablada en aquel crepúsculo itabunense entre Raduan Murad y el joven Adib Barud. Los dos dialogaron a solas y guardaron reserva acerca de los temas discutidos. No por eso faltó quien reprodujera con pelos y señales el extenso diálogo, con referencias a los tonos de voz, los ataques de risa, la densidad de los silencios. Algunos afirmaron que el coloquio, habiendo comenzado en árabe, terminó en portugués; otros garantizaron exactamente lo contrario: iniciado en portugués, prosiguió en árabe: lengua, además, que Adib, nacido brasileño *grapiúna*, hablaba concienzudamente mal.

Si creemos en la versión más corriente, no por eso digna de fe y transcripción, al ser servida la medida de anís, Raduan le habría preguntado al mozo:

—¿Y tú no cenas, muchacho?

Adib respondió que cenaba, sí, y so-

bradamente. Plato hecho por doña Lina, esposa de Sante, que lo traía al volver de la casa. Agregó un simpático comentario sobre la apariencia de la patrona:

—Doña Lina es un camión, ¿a usted no le parece, profesor? Tiene unos muslos...

A pesar de que Raduan Murad no era maestro de escuela ni daba clases particulares, numerosas personas lo trataban de profesor y él recibía el título sin extrañeza ni soberbia. Se mostró interesado en saber dónde y cómo Adib había evaluado los muslos de Lina. Había sucedido por casualidad: al llevar un recado a la casa de Sante, encontró a la mencionada señora en cuclillas, fregando ropa en una palangana, la falda arremangada, los muslos a la vista: arriesgó el ojo. Además de diligente, Adib era metido:

—Hay quien dice por ahí…

Raduan, que sabía de sobra lo que decían por ahí, le cortó la indiscreción:

—Oír es siempre ventajoso; repetir, no siempre, muchacho. Olvida lo que oíste si no quieres perder el empleo.

¡Perder el empleo, Dios lo libre y guarde! En el café, puesto privilegiado, Adib vivía en contacto con los ricos y los influyentes, los poderosos de la ciudad, siempre al tanto de lo sucedido y lo inventado, complaciéndose en el libertinaje con las chicas que allí rondaban para avivar a los neófitos. Perder tantos beneficios, sólo si estaba loco.

Anteriormente había yugado durante tres años en La Moda, tienda de propiedad de su hermano Aziz. ¿Si le gustaba la tienda? Para ser empleado, prefería el bar, por las razones expuestas. En el mostrador de La Moda había comenzado trabajando gratis, para aprender; solamente en el último año pasó a cobrar sueldo, una nada. Como no era burro de carga, se fue.

¿Y en la condición de socio? En la condición de socio o aun de simple interesado en los lucros, profesor, ahí sería otro cantar. Pero Aziz nunca le daría participación en el negocio por más que Adib se matara en el trabajo y agradara a la clientela. La Moda, de Barud & Hermano, ¡qué esperanza! Su ideal era poner una plantación de cacao, como había hecho Saad, el otro hermano, yerno del coronel João Cunha: el suegro le dio una mano, a Saad le sobraba dinero.

—A usted no le importan esas cosas,

¿verdad, profesor? Lleva la vida con calma... Pero no cualquiera puede vivir sin hacer nada, dándose aires de señor sin trabajar. Para eso es necesario tener mucho tuétano en la cabeza.

Qué muchacho imprevisible: Raduan Murad sonrió con aire bondadoso al oír el singular comentario: ¿cuántos no pensarían lo mismo sin atreverse a decirlo? Lamentó que a Adib le interesaran sólo las hijas de hacendados, que desdeñara las hijas de comerciantes, una pena.

—¿Quién dijo eso, profesor? Muéstreme dónde hay una conquistable, que salgo atrás, corriendo. Tengo mucha habilidad para el mostrador, pregúntele a Aziz. Él vive deseando que yo vuelva, pero prefiero trabajar para don Sante. Acá uno se instruye.

—¿Aunque la muchacha no sea una belleza, aunque sea bastante feúcha…?

—Si tiene plata, ninguna mujer es fea.

—Aprobado, muchacho. Veo que recibiste buena educación.

Aprendían buena educación en el cobijo del hogar y en el azar de las calles. Todavía adolescentes, adoptaban y practicaban los artículos de los códigos dominantes en la región, leyes no escritas pero indiscutibles. Llegada la ocasión de tomar esposa, debe escogerse mujer virgen y virtuosa, trabajadora y honesta, pues a ella cabrá parir y criar los hijos, cuidar de la casa, vivir con recato y modestia, sumisa. Belleza y juventud son dotes secundarias, sobre todo si la dote principal de la novia se mide en leguas de tierra o en puertas de casas de comercio: El Baratillo abría tres puertas a la calle. Hermosura, gracia y juventud son preferencias cuando se busca concubina, amante o compañía para una noche en la cama, para un rato de calentura. En esos casos sí, se recomienda muchacha linda, jovencita, de chucha nueva y acogedora. Saludables principios, fundamentos de la familia y la sociedad.

—¿Pero si la susodicha fuera un par de años mayor que tú? —prosiguió Raduan en su interrogatorio.

—¿Y eso qué tiene, profesor? Nunca oí decir que la edad sea un defecto. Solamente no sirve si estuviera agujereada: tapar agujero abierto por otro, eso no lo hago. Tiene que ser virgen.

Raduan Murad se demoró contemplando al muchachón que sonreía y se restregaba las manos una en la otra, excitado con el rumbo de la conversación:

—Si conoce alguna, profesor, déme la dirección; del resto me ocupo yo.

¿Y por qué no? Adma era una apuesta dura, indigesta. Enfrentarla exigía decisión, coraje y estómago de camello. Alto, seco de cuerpo, musculoso, rústico, Adib se asemejaba a un dromedario. La juventud y la codicia lo hacían capaz de masticar paja y encontrarla sabrosa, de enfrentar solterona vejestoria y avinagrada, desvirgarla con deleite, llevarla al desvarío, a la beatitud, a la paz con la vida. Bien cogida, Adma dejaría de atormentar a la humanidad.

Sucias conjeturas, Raduan Murad las guardó para sí. Gastó poesía y sapiencia antes de anunciar el nombre de la virgen carente de marido. Ciertas virginidades son como el vino —declaró en árabe—, mejoran con el paso del tiempo y poco a poco van refinándose, acrisolándose, se transforman por fin en licor, en *brandy*, en coñac. Cambian de condición pero conservan la calidad. En el máximo de la curiosidad y el interés, Adib afirmó preferir el coñac al vino.

—Sé de una, sí, muchacho, alguien que es un dechado de virtudes, pura como la Virgen María.

—¿Quién, profesor? Dígalo de una vez.

—Ya conoces a Ibrahim Jafet… Estaba acá conmigo ahora mismo…

—Lo conozco, sí, señor.

—Y a las hijas de él, ¿también las conoces?

—También. Una más bonita que la otra...

—Menos una...

—Espere, profesor, ya voy entendiendo. Usted quiere decir la tabla de planchar, ¿no?

—Quien se case con ella va a ser socio de la mercería...

Lo que trataron y acordaron Raduan Murad y el joven Adib Barud aquel crepúsculo itabunense nadie lo sabe. Muchas cosas se dicen y se comentan: chismes y patrañas, nada más. Sante, por ejemplo, afirmó haber oído, al regresar de cenar, la frase final de Adib que, repetida a Dios y al mundo, se transformó en una especie de aforismo. ¿Pero cómo pudo entenderla si él mismo, Sante, comenzó por decir que los interlocutores dialogaban en turco?

Sergipano del norte, el dueño del bar no entendía ni jota del idioma árabe, que para él era una arenga arrevesada, jerga indescifrable.

De cualquier manera, por veraz aquí se anota la sentencia atribuida a Adib Barud con la cual habría cerrado la parlamentación:

—Déjelo en mis manos, profesor. A las mujeres se las amansa a mimos o a golpes. O bien variando las dos cosas.

De él o de cualquier otro, fuera de quien fuere, la afirmación mereció aceptación general y vivo apoyo. Sorprendente Adib Barud, hijo menor de Moamud y Ariza, ambos fallecidos. Huérfano, había aprendido solo a la buena de Dios: educación esmerada, cuidada.

10

SE COMPROBÓ INMEDIATAMENTE QUE
Jamil Bichara e Ibrahim Jafet eran almas
gemelas hechas para entenderse y esti-

marse. El encuentro ocurrió en el cabaret: Glorinha Culo de Oro hizo las presentaciones. No tardó en arrepentirse: los dos turcos, en lugar de ocuparse de ella, comenzaron a charlar, dejándola reducida al ridículo papel de sordomuda, como si fuera un trasto cualquiera. Herida en sus bríos, salió a bailar con Chico Lopes, viajante metido a conquistador de muchachas; rondaba a Glorinha desde hacía tiempo, sin éxito hasta entonces. Gratis la solicitada no se daba, a no ser a aquellos raros hombres que la hechizaban, ofuscándole el juicio. No por avaricia, sino por necesidad: en Larajeiras, de donde había venido para ejercer en Itabuna, había dejado cuatro hermanas vírgenes y santurronas, la madre impedida y el padre que labraba tierra ajena con el consuelo de la *cachaça*. Todos

ellos, más dos tías lunáticas —mis seres queridos, lloriqueaba nostálgica, al recordarlos—, todos dependían de ella, del dinerito que ganaba con el sudor de la frente y enviaba cada mes por intermedio de don Aureliano Neves, dueño de la Casa Sergipana, muebles de primera, los sábados parroquiano suyo.

Hermana menor, mestiza oscura vigorosa y calentona, le había dado la virginidad de regalo al hijo del juez, hijo de puta que después de hacerle la fiesta la largó mal cogida a la furia del padre borracho y moralista, sin decirle hasta luego: le había prometido casa puesta, concubinato. De cualquier modo le estaba agradecida, ya que al desvirgarla le había proporcionado una gran suerte: Glorinha del Divino fue a ser puta en la zona del cacao, Glorinha

Culo de oro, con buena clientela. Los alambicados juramentos de amor del viajante le entraban por un oído y le salían por el otro, a pesar del bigotito fino y el cabello lustroso de brillantina, partido al medio en el elegante peinado a lo cajeta, de última moda. El infeliz bailaba bien, y Glorinha no se quedaba atrás: adoraba el vals, la polca, la mazurca, era eximia en el *maxixe*.

Interés por parte de Jamil existió desde el comienzo, cuando, alborozado con la inesperada aparición del candidato ideal, Ibrahim fue directo al asunto: aquella misma tarde la persona del coterráneo había estado sobre el tapete, objeto de conversación y especulación. Raduan Murad, amigo común, un talento, había propuesto el nombre de Jamil y habían lamentado su ausencia. ¿Propuso su nombre para qué? Para solucionar un problema del interés de Ibrahim, pero que podría venir a ser igualmente de Jamil. Le gustaría exponerlo si el compatriota quisiera oírlo y fijara hora y lugar. Aquí y ahora, respondió: no disponía de tiempo al día siguiente, enteramente dedicado a renovar el *stock* y embarcar la mercadería. La mezcla de vermut y coñac desató la lengua del afligido padre de Adma. Todo oídos, Jamil, por natural prudencia, no demostró entusiasmo en ningún momento de la maquinación.

Antes de empezar a escuchar el detallado relato del complicado embrollo, Jamil se declaró plenamente satisfecho con el lugar donde vivía y comerciaba, y no planeaba abandonarlo. Todavía no se había enriquecido, eso no, pero si el poblado

continuaba creciendo, el bodegón de troperos sería, con el paso del tiempo, importante negocio, tan seguro como que dos y
dos son cuatro. ¿Conoce al coronel Noberto de Faria? Pregúntele y él le dirá. Para
abandonar lo que le había costado priva-
ciones, esfuerzo y sacrificio, y una perspectiva de un futuro de abundancia, era
menester una oferta valiosa.

Al principio del regateo, Ibrahim
ofreció el puesto de gerente con sueldo y
pequeña participación en los lucros; regó
la propuesta con vermut. Jamil se le rió en
la cara, con esa fuerte risa de burla con
que había impuesto precios a los pequeños agricultores, *alugados* y *jagunços* en los
fines del mundo del cacao. A esa altura de
la contienda, Glorinha Culo de Oro regre-
só y para darles rabia se dedicó a elogiar a

Chico Lopes, perfecto caballero, ¡y qué hablar tan fino! Lo opuesto de los dos turcos brutos e ignorantes que la largaban sola en el salón. ¿Qué diablos había ido Jamil a hacer en el cabaret? ¿A divertirse, el pensamiento lejos de las fatigas, o a pasar la noche en aquella interminable lata con Ibrahim? Ibrahim, otro estúpido, en vez de ocupar el tiempo del hombre de ella debía conseguirse una mujer con quien dormir, antes de que los coroneles contrataran todas las presentes y lo dejaran pagando. Tenía razón: Jamil le dio el brazo, la llevó a la pista. Ibrahim aprovechó el recreo y el consejo: al ver a Paula la Tuerta solita junto a la orquesta, la invitó a la polca. Pero uno y otro, Jamil e Ibrahim, bailaban sin convicción, desatentos, la cabeza puesta en el conciliábulo.

De vuelta a la mesa, Ibrahim expuso la hipótesis de la sociedad en el caso de que Adma fuera incluida en la transacción: así las otras hijas y los respectivos maridos no podrían reclamar. ¿Otras hijas, cuáles? ¿Qué pito tocaban esos nuevos yernos? Mientras Glorinha atendía las invitaciones de hacendados y viajantes para bailar contradanzas y rechazaba ofertas para dejar el cabaret y al turco —el coronel Raimundo Barreto amenazó llevarla a la fuerza, pero ella, con mucha habilidad, lo convenció de ir con otra—, los dos coterráneos, entre sucesivas rondas de vermut mezclado con coñac, avanzaban de detalle en detalle, tratando de desenredar el hilo de la madeja. Ibrahim, aunque borracho, se contuvo y no vomitó las últimas confidencias. Honradamente dejó en claro que la hija Adma

no figuraba en la galería de las bellezas lo-
cales; sobre el carácter, nada reveló. Hay
tiempo para todo, hasta cuando corre prisa.

—Si entendí bien, el amigo desea ju-
bilarse, ya trabajó demasiado, se siente
cansado. Necesita una persona capaz y de
confianza que lo sustituya en el mostrador
de la mercería, pues su yerno no cumple
como es debido. Por otro lado tiene una
hija soltera y quiere colocarla. Juntando las
dos puntas, el que se case con la chica se
convierte en socio de la mercería…

Avanzada la madrugada dejaron el cabaret. Ibrahim, flojo de copas, tropezaba
por la calle. Paula la Tuerta no había cum-
plido la promesa de esperarlo y había partido con un hacendado de mala entraña,
un tal Claudio Portugal, loco por las estrá-
bicas.

—¡Compromiso, una mierda! O vienes conmigo o acabo ya mismo con esa reunión de *cabras*... —amenazó el degenerado.

El dueño de El Baratillo se consoló con la gangosa Haydée, que compensaba el tono nasal de la voz con la instrucción diversificada: en la capital había ejercido en pensión de francesas y polacas, hacía de todo, con esmero.

En el cuarto de Glorinha Culo de Oro el candelero iluminaba el espejo colgado en la pared y la imagen de San Jorge; perfume de pachulí en las sábanas y las almohadas. Mientras esperaba a la descarada que se aseaba en la jofaina preparándose para continuar con el jueguito del pájaro y la jaulita, Jamil pasó revista a los datos recogidos. Antes que nada necesitaba averiguar la situación real de la mercería, la confusa cuestión de la sociedad, investigar a hijas y yernos y, por último, conocer a la fea. Era loco por las mujeres bonitas, pero en las breñas donde comerciaba, en los yermos donde se había establecido, había acostumbrado al instrumento a comer de lo bueno y de lo malo, sin reclamar ni poner mala cara. En la inclemencia de las plantaciones de cacao había probado mulas, yeguas y jumentas, y le habían gustado.

11

Al día siguiente, atareado con pro-
veedores, mercaderías, pagos, aun así Jamil Bichara encontró tiempo para echarle

una ojeada a la mercería. Del sucinto inventario, hecho con la ayuda de Ibrahim, salió con impresión favorable que guardó para sí: no iba a entregar triunfos al adversario. Llamó la atención sobre los datos negativos: atraso en los pagos, caída en las ventas, negligencia, incompetencia.

El fogoso Alfeu y el galante querubín se consideraban en eterna luna de miel, punto de vista romántico y ruinoso: como la noche no les bastaba para el meta y ponga, proseguían entrada la mañana. Se agregaban el llanto del chico, el cambio de pañales, las mamaderas: imposible cumplir horarios rígidos: abrían y cerraban las puertas del negocio cuando mejor les daba la gana. Soñolientos, perseveraban en los arrullos en el mostrador sin conceder la atención debida a las costureras y amas de casa, que a cambio de pequeñas compras —un dedal, una docena de botones, hebillas para el cabello, dos codos de cinta— exigían prosa y consideración.

La clientela de Sálua, fiel y numerosa, fue menguando de a poco, alejándose en busca de vendedores menos apasionados, más solícitos. Tampoco el propietario prestaba la ayuda necesaria a la buena marcha del mercado: en la víspera, en el cabaret, Ibrahim había confesado haberse desligado, durante la vida de su esposa, de tales obligaciones y responsabilidades: Sálua se ocupaba y responsabilizaba. Recordó a Sálua con los ojos húmedos. ¿Lágrimas fáciles, de un hipócrita, o sinceras y sentidas lágrimas de un vago amante de la buena vida?

A pesar de la evidente decadencia, El

Baratillo, situado en una calle del centro, ubicación privilegiada, tienda espaciosa, le pareció a Jamil un negocio promisorio. Las dificultades recientes apenas si habían alterado el buen concepto de que durante largos años había gozado en la plaza. En manos capaces la mercería podría volver rápidamente a los tiempos áureos, y disponía de condiciones para transformarse, con cierto esfuerzo, en surtido bazar donde se vendiera de todo un poco: telas para hombres y mujeres, zapatos y sombreros, camisas, tiradores, cordones, medias y corbatas. Para eso se exigía una mano fuerte, aptitud para el comercio y coraje en el trabajo, virtudes de Jamil Bichara, comprobadas. La dificultad residía en el número de hijas y yernos, mucha gente. Si decidía entrar en la familia y en la sociedad, necesitaba estudiar en serio las cláusulas del contrato.

Examinaban cuentas y recibos cuando, llegada de los fondos de la casa, entró en la tienda una desenvuelta mujer que besó la mano del coterráneo —la bendición, padre— y le sonrió a Jamil mientras los ojos curiosos y pícaros lo examinaban de arriba abajo, como estimando sus méritos de varón. ¿Sería ella la tal feúcha? No podía ser, ésa de fea no tenía nada, muy por el contrario.

—Mi hija Samira... —aclaró Ibrahim—. La que está casada con el telegrafista.

—Jamil Bichara, a sus órdenes.

—¿Jamil Bichara? Ya oí ese nombre...

—Es amigo del compadre Raduan.

—¿Del tío Raduan? ¡Ah! Ahora me acuerdo... —Apuntó a Jamil con el dedo,

133

la voz traviesa. —El sultán del cabaret,
¿no?

Jamil rió, ligeramente avergonzado:

—Sultán es lo que dice él, bromeando...

La atrevida continuó midiéndolo y de
pronto tuvo un acceso de risa cristalina y
licenciosa, sin explicar qué gracia lo había
provocado. El tío Raduan tenía conversaciones para el interés y el gusto de cualquier oyente, pero a Samira y algunas otras
preferidas les reservaba los picantes relatos de la vida bohemia, que les revelaban
ambientes y episodios prohibidos a las señoras casadas. El tío Raduan era el mismísimo diablo: con esa voz de terciopelo y el
aire más inocente, ¡soltaba cada una! Para
explicar el éxito del amigo Jamil Bichara
con las muchachas, se refería a una parti-

cularidad del individuo: era un despropor-
cionado, la tenía grande como la pata de
una mesa. A juzgar por el corpachón, debía de ser verdad; Samira cerró los ojos para entrever mejor.

En cuanto a lo de tío Raduan, no se
trataba de un parentesco real, de sangre, y
por lo tanto nada impedía el chismorreo
para reírse y llenar el tiempo, las frases
con doble sentido, las insinuaciones, los
atrevimientos, el flirteo inconsecuente.
Flirtear y lanzarse, ésos eran los placeres
de Samira, destinada por el casamiento a
los cándidos enigmas de almanaque. Cruzar miradas, intercambiar sonrisas, palabras inciertas, sentir el toque subrepticio
del pie, de la mano, del labio, por casualidad o a propósito... ¿podía haber algo mejor? Algunos decían que era desvergonza-

da y atribuían cuernos al amante de las charadas, Esmeraldino; otros garantizaban que Samira no iba más allá de esas libertades: daba soga, se ofrecía, pero a la hora hache desaparecía, la tramposa, la "yo no sé nada".

Al agacharse para recoger un carretel de hilo delante de Jamil, le permitió ver de reojo la curva de los obstaculizados senos: ¿por querer o sin querer, quién sabe? Antes de retirarse se pasó la punta de la lengua por los labios como si los tuviera secos: secos o sedientos, según se quiera interpretar. Cuñada no es parienta, reflexionó Jamil. Al volver a sacar las cuentas, colocó a Samira en la columna de los créditos de la mercería.

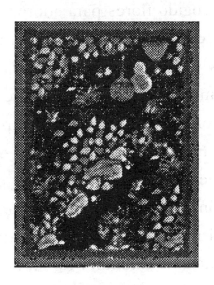

12

A no ser por la presencia de Adma, la cena habría sido perfecta. Comida árabe sabrosísima, preparada por Samira con la ayuda de Fárida, el querubín, que además había recogido flores para adornar la mesa como si ellas dos no bastaran, primorosas, vestidas y peinadas como manda el figurín. Lamentaron la ausencia de Jamile, metida en la plantación en compañía del marido. Hablando de marido, el de Samira, el telegrafista, asistió y brilló, cordial y bonachón, goloso apreciador del *quepe* y la *esfija*. Al refinado bienestar contribuyeron la presencia de Raduan Murad, docto y divertido, y la rodilla derecha de Samira, sentada a la izquierda de Jamil: ella no sabía estarse quieta.

Infelizmente estaba Adma, figura fatal, comensal indispensable. Para que Jamil la viera y con ella conversara, Ibrahim lo había invitado a cenar en familia en la casa. Cauteloso, nada había dicho a las hijas sobre los proyectos en curso: hacerlo antes de que el coterráneo conociera a la pretendida sería una temeridad.

Apenas la vio, Jamil se dio cuenta de la enormidad del desafío: no bastaba revestirla con las cintas y los encajes, las menudencias de la mercería, insuficiente compensación para la total carencia de atributos físicos. Adma necesitaba ser una santa de altar para que un ciudadano en posesión de sus facultades decidiera tomarla en matrimonio. ¡Proveyera Dios tamaña santidad! En el transcurso de la velada, Jamil comprobó el desinterés del Señor: no había provisto un carajo.

Recibió duro golpe al enfrentarla a la hora de la presentación. Por ser quien era, curtido en las celadas, en los *quid pro quo* de la vida, no abandonó allí mismo la idea de transformar El Baratillo en el bazar más surtido y con mayor clientela de Itabuna. Había imaginado encontrar una solterona feúcha en cuyo rostro insípido se reflejara, no obstante, semejante bondad natural que lo tornara casi agraciado. Feúcha pero simpática, activa en el cuidado de la casa, gentil en la atención, de conversación amena, en fin, una solterona afable cuyo único defecto consistiera en no ser bonita. Eso había pensado: ¡se encontró con un pajarraco viejo, un esperpento!

Sentada frente a Jamil, Adma vigilaba la mesa de punta a punta, reprobando con la mirada, el gesto, la palabra, todo lo que significara alegría y risa, dicha. Condenó con aspereza una chistosa y novísima charada propuesta por Esmeraldino a la inteligencia de los comensales:

—¡Oigan! ¡Oigan! Es facilísima... Presten atención: la dama y la mujer no pasaban de ser una prostituta, dos y dos.

Miró en torno, victorioso, y él mismo detalló la solución: dama, dos sílabas, significa mujer; mujer, dos sílabas, significa dama, concepto: prostituta —ja, ja, ja—, o sea, mujer-dama.

Muy bien, muy bien, linda charada. El querubín batió palmas, entusiasmada con el genio inventivo del cuñado. ¡Indecencia!, tronó Adma. Indecentes los besos intercambiados entre bocados por Alfeu y Fárida, intolerables los eructos satisfechos de Ibrahim, la panza llena. No se atrevía a interrumpir a Raduan Murad, pero cerraba la cara al oírlo declamar versos en árabe sobre vinos y mujeres: ¡porquerías! Inmune al alborozo, al margen de la satisfacción general, intolerante e infeliz. En un momento dado, para bien servir el café, Samira se agachó delante de Jamil, y el vecino no tuvo cómo impedir que la vista cayera en el escote del vestido. Eso bastó para que Adma envolviera en una mirada mortal a la hermana, al odioso invitado y al distraído amante de las charadas. Jamil se estremeció.

Esa mirada maligna, de acusación y disgusto, lo persiguió puerta afuera cuando, terminada la cena, llenándose de coraje, Ibrahim invitó a los caballeros presentes:

—¿Vamos a dar una vueltita por la plaza? Para hacer la digestión…

Con excepción de Alfeu, todavía en la luna de miel, como se sabe, y de Esmeraldino, que lo intentó pero desistió —¿Y quién me lleva a casa?, quiso saber Samira dirigiéndose al marido, pero sin desviar de Jamil los ojos maliciosos—, los otros tomaron los sombreros y se fueron a las putas. Raduan Murad se preguntaba si todavía habría salvación para la pobre Adma. Tal vez fuera demasiado tarde y ni el joven Adib con su adolescencia de camello, tampoco el gigantesco Jamil Bichara con su desmesurada herramienta, pudieran rescatarla de la exasperada virginidad y enseñarle en la cama el amor a la vida.

145

13

IBRAHIM SE APAGÓ COMPLETAMENTE EN mitad de una frase: intentó levantarse de la silla, se deslizó por debajo de la mesa, de donde lo retiraron con ayuda de los mozos. La reunión se deshizo y Jamil resolvió llevar al coterráneo hasta la puerta de la casa, pues solo no llegaría allá, no lo aguantaban las piernas.

Patético y lacrimoso, Ibrahim pasó la mayor parte de la noche recordando a la fallecida. Tanto amor conmovía a las chicas que se comprimían en torno de la mesa para oírlo. Algunas habían conocido a Sálua en el mostrador de El Baratillo, adonde iban a hacer compras, adornos para vestidos, peines finos, anillos de fantasía. Señora casada y rica —¡y qué belleza!—, Sálua no establecía distinciones entre las clientas, y las trataba a todas con idéntica cortesía, ya fueran madres de familia o perdidas meretrices.

Solidarias con los sentimientos de

Ibrahim, recordaban que, durante la vida de la esposa, él había sido ejemplo de buen marido, pésimo ejemplo para la comunidad en la opinión mayoritaria de los jefes de familia. Jamás había frecuentado el cabaret ni pasado la noche en pensión de putas, y si había pasado a hacerlo era con el objeto de olvidar, pero no olvidaba. En oportunidad de cenas festivas en la casa, tan frecuentes mientras ella vivía, tan raras después de su muerte, el peso de la ausencia se tornaba insoportable. Paula la Tuerta, sentimental lectora de romances en folletines semanales, entregados los jueves, se deshacía en lágrimas: amor igual al que había unido a Sálua e Ibrahim, solamente el de Pablo y Virginia, ¡y hasta por ahí no más!

Jamil se había dado cuenta de que el

viudo poco o nada tenía de mujeriego, y no pasaba de estimable vagoneta. Le escuchaba las lamentaciones con silenciosa simpatía, mientras se preparaba para dejarlo en la casa. Raduan Murad se había retirado hacía mucho para cumplir con las obligaciones del póquer, pero Jamil contó con la asistencia de Glorinha Culo de Oro y de Paula la Tuerta; entre los tres llevaron como pudieron a Ibrahim y su cruz hasta las proximidades de la mercería.

Al oír los pasos, se abrió una persiana en lo alto de la casa: una tempestad de improperios rompió el silencio de la noche. Apostada en la ventana, Adma, boca del infierno, lanzaba injurias, acusaciones, agravios, amenazas sobre el padre, el auxiliador y las magdalenas. Valía la pena ver y oír: una única vez Raduan Murad había

presenciado el espectáculo y para calificar-
lo empleó palabras poco usuales: catilina-
ria, vesania, atrabilis.

Las dos chicas retrocedieron, Ibrahim
sollozó en el hombro de Jamil. Adma pro-
seguía, furia insaciable, despertando al vecindario. Ibrahim hizo un esfuerzo, recuperó el equilibrio, partió en dirección a la
puerta del calvario. Antes de trasponer el
umbral elevó los brazos y los agitó en un
gesto de ahogado. Adma no se conmovió
ni se contuvo: apuntando hacia Jamil le
profirió las últimas invectivas.

Apresurando el paso, el turco se reu-
nió con las compañeras de aventura, que
huían calle afuera. Paula la Tuerta, ofendi-
da, comentó:

—¡Qué maldita! Ibrahim es un débil.
Si le diera unos correazos con ganas a esa

peste, los malos humores se le cabarían en un instante.

Con la gentileza habitual, Glorinha Culo de Oro ofreció una alternativa mejor:

—Lo que a ella le falta, pobrecita, es un buen pedazo.

Pensativo, Jamil les dio la razón a las dos. Enferma en estado grave, desesperante, Adma, para curarse, precisaba urgentemente de ambos remedios, el pedazo y los correazos, en dosis generosas. En lo cual concordaba, sin saberlo, con el joven Adib: a las mujeres se las amansa con mimos y golpes.

14

DURANTE DOS MESES, UNA ETERNIDAD, EL
turco Jamil Bichara vivió el problema en
su plenitud, considerándolo en los míni-

mos detalles, analizándolo desde los más diversos ángulos. Le había dicho a Ibrahim en la estación al embarcar en el tren para Mutuns:

—Necesito tiempo para pensar antes de tomar una decisión. Cuando vuelva le doy una respuesta. Mientras tanto, cuide un poco de la mercería e impóngase en la casa.

En el desamparo de Itaguassu con Shitan actuando noche y día, día y noche sin parar, la propuesta de Ibrahim se fue hermoseando, cada vez más seductora y atrayente. Alá parecía mantenerse al margen de la contienda, indiferente; había abandonado a Jamil en hora decisiva, dejando la responsabilidad entera en sus manos.

Vista desde el mísero poblado donde

155

se afanaba, la ciudad de Itabuna, animada
y turbulenta, con sus comercios, la iglesia
y la capilla, el Hotel dos Lordes, el cabaret, los bares, las pensiones de mujeres de
la vida en las calles de piedra, el bullicio
en la estación a la llegada y la partida dia-
rias del tren de pasajeros, los chismes de la
política y los negociados de las tierras del
cacao, los *jagunços* armados, las tropas que
desembarcaban cacao en los grandes depósitos de las firmas exportadoras, se
transformaba en una capital. En Itabuna
se vivía, en Itaguassu se penaba.

Glorinha Culo de Oro venía a provo-
carlo, como de costumbre, perturbándole
el sueño, ofreciéndose desnuda, licenciosa
e inaccesible. A ella se sumaba otro exigente llamado, tentación más fina, señora
casada, Samira Jafet Esmeraldino. La rodi-

lla atrevida, los senos robustos, ubérrimos, buenos para agarrarlos y apretarlos con las manos, la mirada de solapada, mirada de calentona, la lengua húmeda en los labios secos, Samira murmurando: ven, ven enseguida, estoy esperándote, cuñada no es parienta. ¿Cuál de las dos más deseable, más desvergonzada? Dos descaminos para desencaminarlo, la puta de casa abierta, la otra todavía más.

Antes que nada, sin embargo, pesaba en la balanza la perspectiva de volver a levantar en poco tiempo la mercería y enseguida transformarla en bazar abastecido de mercaderías, provisto de lo bueno y lo bonito, emporio con buena clientela, pingües lucros. Aclamado jefe del clan, Jamil dictaría la ley con benevolencia. Se imaginaba tras el mostrador, auxiliado por las cuñadas

Samira y Fárida. En lugar de permanecer en casa masticando disimulos, conversando tonterías con el pueblo en la estación, Samira, joven y robusta, sería de evidente ayuda en la mercería, sumando lo útil a lo agradable. Igualmente Fárida: presencia linda, deleitosa a los ojos de los clientes: la clientela masculina crecería no bien El Baratillo se transformara en un bazar. En cuanto al simpático Alfeu, devuelto a su verdadera vocación en la Sastrería Inglesa, allí podría realizar una envidiable carrera, de aprendiz a oficial, de oficial a maestro, dejando de representar peligro para las finanzas de la mercería.

Vale la pena repetir lo que se sabe de sobra: cuñada no es parienta, pero los lazos de familia permiten una intimidad, por así decir, fraterna. Se ampliaban los horizontes de Jamil: el Sultán y su harén. Eso sí era vivir.

Estudiaba minuciosamente los artículos del contrato que se firmaría en la escribanía. Socio por parte de Adma en la herencia de la madre, socio de Ibrahim en su mitad, en la práctica el dueño del negocio. Entregado a sus pasatiempos, Ibrahim sería una especie de consocio, y a Jamil le quedaría el mando completo, el derecho a hacer y deshacer.

Planeaba comprar desde el principio la parte de Jamile y Ranulfo, su marido. El que posee plantación de cacao no tiene otra ambición en la vida que adquirir tierras y más tierras para plantar, aumentar la propiedad y las cosechas; no le interesan los almacenes y las tiendas. Posteriormente estudiaría cómo actuar en relación con las partes de las otras cuñadas: dependería del buen comportamiento de ellas y de los esposos. En las horas muertas las ventajas del proyecto crecían y se imponían.

Hasta incluso la fealdad de Adma, agresivo pajarraco viejo, seco pedazo de bacalao, se desvanecía a la distancia. Shitan, el tiñoso, no podía esconder la realidad, no tenía poderes para tanto. Pero lograba suprimir o atenuar detalles, reduciendo bigotes a bozo fuerte, transformando cara agria en pundonor. Al final, a otras más horribles y repulsivas Jamil se las había volteado sin vomitar, pagando en dinero contante y sonante, corriendo riesgo de contagiarse enfermedad venérea: bubones, gonorrea.

Además debe tenerse en cuenta que ciertas mujeres feas son irresistibles. Ellas tienen sus misterios, según había explicado Raduan Murad al oír, en cierta ocasión, a Jamil comentar admirado la extravagancia de Salim Hadad, compatriota millonario, hacendado de sus buenas cuatro mil arrobas cosechadas entre cosecha y cosecha. Casado con una prima, Yasmina, pedazo de mujer, un camión, vivía metido con la prostituta más contrahecha de la calle del Umbuzeiro, Silvinha, cara de resfrío, culo ordinario, pechos magros, de lo último. Gastaba un dineral con ella, ¿cómo explicar tal absurdo?

—Ella tiene sus misterios, Jamil. Una criatura puede ser fea de apariencia, peor de formas, pero si la boca del cuerpo es de rechupete se trata de diamante puro, incomparable. Aquí entre nosotros, puedo garantizarle: igual a la boca del cuerpo de

Silvinha no conozco otra... —Hizo chasquear la lengua en nostálgica confirmación.

Quién sabe, tal vez Adma fuera una de esas privilegiadas, chucha divina, de rechupete. Creer realmente, Jamil no lo creía, pero tampoco era imposible. Allí mismo en Itaguassu estaba el ejemplo de Laurinha, apodada la Bruja. Bruja de tan horrible: apagada la lámpara de petróleo, en la oscuridad y con el pensamiento puesto en otra, ninguna se le comparaba, tajo apretado de niña virgen, palpitante boca del cuerpo para chupar.

Más difícil era amenizar las asperezas del carácter. Jamil no conseguía olvidar la maligna presencia de esa loca en la cena, menos todavía la escena del martirio de Ibrahim. Se veía volviendo del cabaret, en

el medio de la noche, o de la pensión de
Afonsina, de madrugada: un marido no tiene hora marcada para llegar a la casa ni
cuentas que rendir. Se topaba con Adma
en lo alto de la ventana esperándolo hecha
una furia, despertando a los vecinos en la
repetición de la gritería, escándalo sin
igual. Queriendo subírsele al lomo, como
había hecho con Ibrahim. ¿Pedazo y correa
bastarían? Dudoso.

Abandonado por Alá a la seducción
de Shitan, entregado a las propias fuerzas,
transcurrió dos meses en aquella lucha, sin
decidir nada. Pero a cada instante el Mal-
vado acentuaba su dominio sobre el alma
de Jamil; en las vísperas de rumbear para
Mutuns, de donde salía el tren hacia Itabuna, consideró irrecusable la propuesta
de Ibrahim: comercio bien montado, for-

tuna a la vista y mujer de excelente calidad. Pensaba en Samira, no en Adma.

Para Adma poco pedazo y mucha correa. A no ser que el esperpento poseyera,
ella también, sus misterios, cajeta incomparable, de rechupete. Es bien posible, es
casi seguro, le soplaba el demonio en el
cogote.

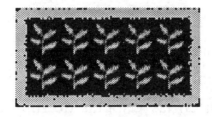

15

¿Estarían Alá y su profeta Mahoma
tan despreocupados con el destino de su
hijo Jamil Nichara que se hallaban a punto

de olvidar el pacto de fe y asistencia que existía entre ellos, y ni siquiera le llamaban la atención sobre los peligros de la empresa en que se obstinaba en comprometerse? Probablemente hubieran intentado hacerlo sin que el obstinado les prestara oídos: "Yo estaba ciego y sordo —le confesó el propio Jamil a Raduan Murad—, entregado a la tentación del oro y de la carne. Shitan habitaba en mi pecho".

Según el adagio, Dios aprieta pero no ahorca, y para llevar a cabo sus designios utiliza métodos singulares, mueve inesperados personajes. Mientras Shitan, acampado en Itaguassu, dedicaba tiempo integral a la seducción de Jamil, Alá, el gran Alá, maniobró en Itabuna para salvar el alma y defender el futuro del ungido.

Ya pasado el caso, analizando con Ja-

mil el desarrollo de la refriega, Raduan, que la había acompañado suceso por suceso, apasionadamente, al tomar conocimiento de la actuación de Shitan —sueños lúbricos, míseros artificios, promesas exageradas y dudosas—, consideró la estrategia y la táctica de Alá superiores en todos los sentidos. No solamente por haber colocado al enemigo frente al hecho consumado, sino también por la forma como había actuado: en lugar de elucubraciones subjetivas, acciones fulminantes, dignas de la mejor tradición del Antiguo Testamento, demostró hallarse en plena forma. Inició la bellísima actuación con el episodio romántico y heroico de la tropa desenfrenada, primera de una serie de jugadas magníficas, espectaculares.

La tropa de burros se desenfrenó sin

motivo aparente poco antes de llegar a los depósitos de Kuntz y Cía., firma suiza exportadora de cacao. Los animales se abalanzaron en desaforada carrera, coceando, pedorreando, atropellando a los transeúntes en hora de intenso movimiento: las bolsas caían de las carretas, las vainas de cacao se desparramaban en las zanjas, el pueblo huía desatinado, un fin del mundo.

En ese exacto momento la virgen Adma acababa de penetrar en la alterada arteria volviendo de la casa de Samira, en la plaza de la estación, donde había estado atormentando la vida de la hermana. Se había referido inclusive a Jamil Bichara, aplicándole epítetos cuando Samira lo defendía, a él y al padre: uno soltero, el otro viudo, tenían todo el derecho a frecuentar pensiones de chicas. Se irritaron los ánimos. Adma amenazó un patatús, pues la disfrutable la acusó de ser intolerante, por no haber encontrado quien la quisiera: nada la hería más profundamente.

Venía, infeliz y cabizbaja, por el medio de la calle cuando oyó los gritos y relinchos y distinguió delante de sí las siluetas de las bestias de carga enfurecidas, bajo cuyas patas iba a morir aplastada: a pesar de todo, Adma no deseaba morir. No tuvo fuerzas para huir, soltó un grito, cerró los ojos, esperó el choque, la caída, los cascos herrados, el fin: se sintió arrebatada en el aire, se desmayó.

Cuando abrió los ojos comprendió que había iniciado la vida eterna y merecido el paraíso: frente a ella se inclinaba un arcángel y le sonreía, celeste, deslumbrante. No era el paraíso, era el interior de una tienda de haciendas; alguien le ponía un vaso en la boca, el agua se le escurría por las comisuras de los labios. Se oían todavía los ecos de la confusión, el alarido de los troperos. El arcángel no usaba alas, pero continuaba mirándola sonriente. Un señor gordo, empapado de sudor y susto, agitado, relató:

—Por un tris, escapó por un tris, nació de nuevo. El muchacho que arriesgó la vida es un héroe. —Señalaba al arcángel para admiración del pueblo comprimido en la puerta para ver mejor.

Adma miró de frente al héroe: había perdido el origen celestial, pero seguía siendo joven y fuerte y no cesaba de sonreír; continuó hallándolo deslumbrante. Con gentileza él le ofreció la mano para ayudarla a levantarse de la silla donde la habían sentado y dijo:

—¡Vamos, Adma! Voy a llevarte hasta tu casa.

Adma se sentía débil y confusa, sin entender del todo lo que estaba ocurriendo, aún no se había repuesto de la conmoción. ¿De dónde la conocía el príncipe, cómo sabía su nombre? Aturdida aceptó la mano tendida, pero vaciló en las piernas al ponerse de pie; él la sostuvo, tomándola por el brazo:

—Apóyate en mi brazo; vamos, muñeca.

Muñeca, qué palabra tan amorosa, tan galante.

16

Por primera vez en su vida Adma se vio andando por la calle del brazo con un hombre, el mencionado hombre la trataba

173

de muñeca y le sonreía con una sonrisa llena de sobreentendidos.

—¿No te acuerdas de mí?

Le hubiera gustado responderle que
sí, que se acordaba, ¿cómo podría haberlo
olvidado? Infelizmente, ay, no recordaba
dónde y cuándo lo había visto; ni más gordo ni más delgado, deslumbrante... nunca. Perpleja, sonrió mientras él le refresca-
ba la memoria:

—Yo trabajaba en La Moda, que es
de mi hermano Aziz. ¿No te acuerdas? Yo
te espiaba, te codiciaba...

¿Que la espiaba, la codiciaba? Jamás
se había dado cuenta.

Un calor le quemó el pecho magro:
no se daba cuenta, pero había hombres
que la espiaban, jóvenes, fascinantes prín-
cipes, arcángeles del cielo que la codicia-

ban. Lo más maravilloso sucedió cuando llegaron a las inmediaciones de la casa:

—Paso por aquí todos los días sólo para verte en la ventana, pero tú ni reparas en mí.

Adma redujo el paso: ¿cómo hacer para oírlo repetir que pasaba por ahí solamente para verla? ¡Ay, no podía creerlo! Habría dado todo para que Samira estuviera presente, viera y oyera muerta de envidia. Con dificultad explicó:

—Tenemos que entrar por la calle de los fondos; salí por la puerta del jardín.

Se desviaron, la llave temblaba en la mano de Adma. El príncipe, siempre sonriendo, la recogió y abrió el antiguo portón de los enamorados. La solterona entró, la vista baja; no tenía ánimo para mirar al que la había salvado de la muerte, le había tomado el brazo y le había dicho lo que jamás antes había oído; no pasaba de una visión pronta a desvanecerse:

—No sé cómo puedo agradecerle, ¡me salvó la vida!

Hablaba de adentro del jardín, la voz apagada: terminado el encantamiento, allá se iba él para siempre, corto había sido el camino de la ventura; apenas había podido vislumbrar el paraíso, regresaba al infierno nuevamente.

—¿No sabes, bombón? —Adib Barud, arcángel, héroe, príncipe, tosco dromedario, amplió la sonrisa, ahora francamente bien o mal intencionada, conforme la preferencia, guiñó el ojo y anunció: —Pues voy a mostrarte ahora mismo, mi belleza —repitió "mi belleza", y agregó, dispuesto a todo: —¡Mi budín!

Transpuso el portón y lo empujó, cerrándolo. Con una de las manos agarró a Adma por la cintura, con la otra le tomó la cabeza, el rodete se deshizo, ella perdió èl habla y los movimientos. Adib la inmovilizó en un beso aprendido con Procópia, la del juez de paz: una ventosa de labios, lenguas y dientes, que le marcó para siempre la boca y el alma. Ella se agitó, él la mantuvo firme. Por fin, el cuerpo de Adma se ablandó, desfallecido en los brazos de Adib; había sido demasiado para un solo día. Él la apoyó contra el muro y en él ella se recostó; le pasó la mano de arriba abajo, grata sorpresa: la tabla de planchar poseía pechos, y no eran blandos ni caídos.

Ni blandos ni caídos, sino una gracia de Dios en esa tarde de milagros: nadie quedó bajo las patas de los animales, recogido el cacao grano por grano no hubo perjuicio que lamentar. En cuanto a la presencia de Adib en el lugar del drama, no ocurrió por coincidencia sobrenatural; desde la conversación con Raduan Murad el mozo del bar buscaba ocasión propicia para hablar con Adma cosas de amor. Al verla pasar de vuelta de la estación pidió permiso a don Sante y la acompañó de cerca: el resto le cupo hacerlo a Dios, y lo hizo con grandiosidad, arte y rapidez, como todos pudieron comprobar.

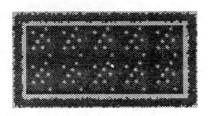

17

—Hoy los gastos corren por mi cuenta... —anunció Ibrahim Jafet, después de pedir una ronda de anís.

Ocupaba la silla y el puesto dejados por el farmacéutico Napoleão Sabóia, único campeón nacional capaz de enfrentar a los invencibles sirio-libaneses en el tablero de *triquetraque*.

Bajando la voz, confió al oído de Raduan Murad:

—Ayer conmemoré quince días, compadre…

—¿Quince días, Ibrahim? ¿Una quincena entera?

Sí, había transcurrido una quincena entera sin que la solterona Adma esperara con blasfemias e injurias la llegada del padre, de madrugada, para la discusión habitual: ciertos vecinos hasta la extrañaban. Estaba sucediendo algo inexplicable, Adma no parecía la misma; Ibrahim era capaz de jurar haberla visto sonreír más de una vez en los últimos días. Quincena de bonanza total; ninguna brujería que lo perturbara en el momento crucial de las lides amorosas, impidiéndole ejercer con ardor y competencia su condición de macho... había dejado de marchitarse. ¿Qué me dice, compadre, qué explicación me da?

Raduan no encontraba explicación inmediata pero pasó a concebir y acumular sospechas a medida que se reiteraban algunas imprevistas actitudes del joven Adib, siempre rondándole la mesa. Sin motivo alguno, al cruzar la vista con la de él, el mozo sonreía y guiñaba el ojo, sonrisas y guiñadas de complicidad. En cierta ocasión le murmuró al oído, restregándose las manos:

—¡Va todo bien, profesor!

Las sospechas maduraron; por lo visto, Adib tenía que ver con la misteriosa transformación de Adma.

Transcurrieron semanas sin incidentes mayores con excepción del tiroteo de Caga-Fumo, en el cual murieron dos mujeres y tres hombres, pelea ordinaria de *jagunços* en casa de putas, y del asesinato del doctor Felício de Carvalho, abogado de las partes contrarias al coronel Amílcar Teles en el negociado de Pedra Branca, ajuste de antiguas cuentas: balance mediocre para una temporada de mes y medio: ¿estaría la animación de Itabuna entrando en decadencia? Entonces, en uno de aquellos fines de tarde de *gamão* cantado, durante los cuales Raduan Murad permanecía solitario en el bar degustando el último vaso de *araque* de anís, falsificado por la familia Mohana, delicioso, superior al importado, se aproximó Adib:

—¿Me permite, profesor? ¿Se acuerda de aquella conversación del otro día?

—¿Conversación? ¿Cuál? —Raduan se hizo el inocente.

—Sobre casamiento y todo eso. Usted me dijo, profesor…

—Ya me acuerdo.

—Soy huérfano de padre y madre, usted ya sabe. Quería que hablara con don Ibrahim como si fuera mi padre. Quiero casarme con la hija de él.

—¿Quieres casarte con Adma? —Se contuvo para no demostrar espanto; atónito, guardó silencio durante un momento y encaró a Adib con evidente admiración: —Y Adma, ¿está al tanto de tus intenciones?

—Estamos de novios hace ya como dos meses.

—¿De novios? ¿Cómo? ¿Ella arriba, en la ventana, y tú en la calle, abajo? ¿Por medio de notitas?

—¿Notitas, profesor? ¡No, conmigo no! Ahí mismo, en el jardín. Cuando salgo de acá, a las diez de la noche, ella me está esperando, deja la puerta abierta. —Hizo chasquear la lengua en obsceno ruido de satisfacción, idéntico al que había emitido meses atrás al recordar a Procópia, la del juez de paz.

—Quieres decir…

—Eso que está pensando, profesor. Ya sabe cómo es la cosa: uno empieza jugando, agarra acá, toca allá, cuando se da cuenta ya es tarde, ya está jugado.

¡Qué individuo espantoso! Queriendo tal vez esclarecerlo, terminó por dejar a Raduan envuelto en tinieblas y confusión cuando garantizó:

—Usted podrá no creerme, pero ella es de primera, profesor.

Sonrió, contento y bien dispuesto; Raduan Murad estaba fascinado.

—Dígale a don Ibrahim que deje la mercería por mi cuenta. En mis manos va a convertirse en bazar de primerísima.

¿De quién había Raduan oído una afirmación exactamente igual?

—Voy a ocuparme del asunto —dijo, aceptando la prebenda. Concediéndole la merecida importancia agregó: —El pedido ha de tener fiesta y discurso, no todos los días ocurre un noviazgo tan... —buscó el adjetivo— ...tan auspicioso.

Permaneció un instante pensativo, volvió a enfrentar a Adib:

—¡De primera! ¿Fue eso lo que dijiste, Adib, muchacho?

—¡De la gran siete! —confirmó el joven.

Raduan Murad guardó en la memoria
la expresión que no conocía: absorto volvió la vista hacia el cielo que se deshacía
en fuego en las cercanías de Itabuna.

18

AL PASAR DELANTE DE LAS PUERTAS DE EL
Baratillo, Jamil Bichara se indignó al verlas
trancadas a aquella hora vespertina de in-

tenso movimiento comercial: absurdo que exigía medidas urgentes, acción rápida. Trataría de eso en cuanto averiguara lo que sucedía.

Se encaminó hacia la entrada social de la casa de dos plantas, comenzó a subir la escalera, oyó rumor de voces que venían de la sala. En lo alto se encontró con la puerta entornada; espió hacia adentro antes de golpear las manos y pedir permiso para entrar. Por lo que le fue dado ver, se realizaba solemne ceremonia con la presencia de mucha gente; ¿acaso velatorio triste y animado? ¿Habría ocurrido alguna muerte en la familia? Tal vez el perseguido Ibrahim se hubiera suicidado, al no soportar más la crisis instalada en el negocio y la familia. Solamente así se explicarían el cierre de la mercería y las ropas oscuras, domingueras, de la pareja desconocida, parada en el umbral de la sala de visitas. Reconoció la voz de Raduan Murad que peroraba en árabe, sin duda haciendo el elogio fúnebre del amigo. Se revistió de tristeza y contrición, pero enseguida descartó la fúnebre hipótesis al oír la risa cristalina y desvergonzada de Samira, una de las razones mayores por las que allí se encontraba para decir que sí.

El que decía sí era el dueño de la casa, el jefe del clan, Ibrahim Jafet, rebosante de salud y satisfacción, eufórico. Daba su acuerdo de padre al pedido que Raduan Murad acababa de transmitir en inspirado brindis: concedía la mano de su hija Adma a Adib Barud, de ahora en adelante también su hijo.

Jamil se mostró en la sala a tiempo de

brindar con los miembros de las familias Jafet y Barud reunidas en fiesta: tanto más ruidosa cuanto más imprevista. Fue presentado a Jamile, su otra casi cuñada, al marido de ella, Ranulfo Pereira, y a los hermanos y cuñadas de Adib; a Adib lo conocía del bar, pero jamás podría imaginarlo envuelto con Adma en alianza de enamorados. ¡Qué cosa!

Pudo contemplar con tranquilo desapego a la fatídica virgen, y no supo explicar cómo había llegado a admitir —¡y desear!— casarse con ella. Observándola tomada del brazo del novio, deshecha en risitas y melindres, qué asco, concluyó que ni a cambio del reino de las mil y una noches un ciudadano normal se sometería a pacto tan infame: ese joven Adib Barud, además de aprovechado vil, era un degenerado. Sin embargo, hacía menos de una hora, Jamil había subido las escaleras de la casa con la intención de postular, en prosa llana, un pedido idéntico al que había transmitido Raduan Murad, con poética emoción, en nombre del ex mozo. ¡Ay, no! Poseído por Shitan, hechizado, ciego y sordo.

Levantó la copa para brindar con Sante a la salud de los novios. El dueño del bar, acompañado por la esposa, Lina, la de los muslos vistosos, lamentaba la pérdida del empleado valiente en el trabajo, discreto en el latrocinio; le preveía brillante futuro en el comercio. La bebida era buena y gratuita, la compañía amable, Jamil Bichara participó en la alegría general: imprevisto invitado, fue de los más expansivos.

Conversando tonterías con Samira al reparo de una ventana, esta vez cupo a Jamil estallar de pronto en risa incontrolable.

—¿De qué se ríe con tanto gusto? —quiso saber la licenciosa.

—Me estoy riendo de Shitan... —respondió Jamil Bichara, y era verdad.

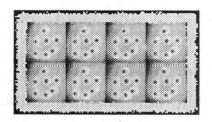

19

Del enredo Jamil Bichara salió incólume, sin mayores daños. El lucro imaginado en los yermos de Itaguassu, la fortuna, el sultanato, no pasaban de ser quimeras; difícilmente podrían concretarse, podrían fácilmente deshacerse en nada, y quedarle en el lomo los compromisos y el casamiento. El casamiento: ¡Puta mierda!

Conservó la amistad de Ibrahim, compañero jovial para las noches de ocio, y prosiguió en el inconsecuente coqueteo con Samira. Iba a visitarla a la plaza de la estación a cada paso por Itabuna: conversaban de tonterías; intercambiaban sonrisas, insinuaciones, vagas promesas, tiernos apretones de manos; sucedían toques casuales aquí y allá, espiaditas al escote del vestido, y no pasaba de eso. Se desquitaba en los sueños en Itaguassu cuando Samira se revolcaba con él en noches de libertinaje: mamas ubérrimas, vientre amplísimo, frondoso precipicio. Alá lo había salvado de Adma, destino infame: burro de carga para matarse en el trabajo para mantener a los vagos de la familia Jafet; de beneficio le había dejado un compañero y una aventura, no podía quejarse.

Devanado el ovillo, quedó un enigma por resolver, misterio por descifrar, provocando intrincadas controversias. El joven Adib Barud, al frente de la mercería, todavía no lo había transformado en el grandioso bazar imaginado y prometido —por él y por Jamil—, pero le equilibró las finanzas, le recuperó el crédito, le reconquistó la clientela. Si bien los resultados no habían sido extraordinarios, tampoco fueron malos. Por lo que se sabe, Adib nunca se quejó: sonriente y amable en el mostrador, conversador, chismoso como él solo; había aprendido modales en el bar, las clientas lo adoraban.

A pesar de ser joven consiguió imponerse: patrón competente y trabajador, aceptado y estimado por la parentela. Más que eso, feliz en el casamiento. Se reveló marido sosegado y constante, afecto al lecho de la cara mitad. No llegaba a ser ejemplo singular de monogamia, como lo había sido Ibrahim en los tiempos de Sálua. De vez en cuando acompañaba al suegro a entretenerse por la noche, sin hora de regreso. En ocasión del primer recreo del consorte, Adma trató de cantarle las cuarenta; esperó despierta, acumulando cólera y veneno, se convirtió en víbora y lo recibió con palos y piedras, gritos y sollozos, un verdadero escándalo. Para comenzar a conversar, Adib le aplicó un potente par de bofetadas, preludio de la zurra me-

morable con que la disciplinó; enseguida la montó con ímpetu y desvelo, hasta dejarla por fin quieta y satisfecha, ronroneando. Siempre que era necesario, y también sin necesidad aparente, repitió el tratamiento: así la domó con golpes y mimos.

A pesar de criticada por comunidad masculina y por algunas señoras que adherían a la ley reinante —en la esposa el ciudadano se pone con respeto para hacerle hijos, cumpliendo deber sagrado; para las indecencias, las porquerías, existen las putas—, la fidelidad de Ibrahim tenía explicación por ser el marido de Sálua, la más hermosa de las hermosas, cuerpo moldeado en curvas, carnes abundantes, rostro melindroso, ojos de sultana. ¿Pero cómo explicar el comedimiento de Adib? Muchacho fogoso, antes tan bien visto entre

200

chicas y amantes, se tornó difícil y esquivo. Para mantenerlo a la noche en casa, en el lecho matrimonial, ¿de qué artes o artimañas se valía Adma, pajarraco esperpento, bacalao seco, tabla de planchar?

Cuando Adib le pasó la mano por el cuerpo, en el día inolvidable de la estampida de la tropa de burros, se descubrió que no era así: tenía senos duros y lozanos. ¿pero bastarían buenas tetas para disimular el resto? ¿O sería Adma por acaso, como habían sospechado y sugerido algunos en el auge de las agitadas discusiones, una de aquellas predilectas a quienes Dios había concedido la gracia de la divina cajeta de rechupete para libar?

Nunca se supo con certeza. Pero Raduan Murad, al recordar los términos reales y mágicos de la historia de los esponsales de Adma, llamaba la atención de los oyentes sobre la circunstancia de que, como se sabe, Dios es brasileño. Responsable del futuro de Jamil Bichara, con la misma eficiencia comandaba la suerte de Adib Barud, hijos predilectos uno y otro, educados ambos en el amor al comercio y el dinero, el respeto a las leyes de la tierra *grapiúna*. Habiendo el musulmán Alá usado al muchacho del bar para impedir que Jamil huyera a su destino, Jehová, Dios de los católicos maronitas, no quiso hacer menos, no iba a dejar a Adib en ese apuro, encenagado en bosta. Adma no había heredado de Sálua los rasgos del rostro, las lindezas del cuerpo, pero, para compensar, Dios le había concedido la parte mejor de la herencia, la principal: aquel incomparable misterio que torna irresistibles a algunas rarísimas mujeres, bonitas o feas, Sálua o Adma, no importa. Un milagro menos, un milagro más: los milagros sucedían cada dos por tres en aquellos buenos tiempos del descubrimiento de América por los turcos.

Bahía, julio, París, octubre de 1991.

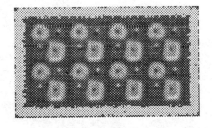

GLOSARIO

Alugado: Garimpeiro (buscador de metales o piedras preciosas) asalariado, que trabaja sin derecho a las piedras extraídas.

Caboclo: Mestizo de blanco con indígena.

Cabra: Matón que se pone al servicio de quien le paga.

Cachaça: Aguardiente que se obtiene mediante la fermentación de la melaza.

Gamão: Juego (de azar y cálculo) de tablero y dados entre dos jugadores.

Grapiúna: Nombre que los habitantes del *sertão* dan a los moradores de la capital.

Jagunço: Valentón que se pone al servicio de quien le paga.

Maxixe: Danza urbana brasileña, generalmente instrumental, en compás de dos por cuatro rápido, originaria de la ciudad de Río de Janeiro.

Sergipano: Natural o habitante del estado de Sergipe.

Sertanejo: Natural o habitante del *sertão*.

Sertão: Zona muy seca del noroeste brasileño.

Triquetraque: Juego de *gamão*.